国家出版基金项目
NATIONAL PUBLICATION FOUNDATION

“十四五”国家重点出版物出版规划项目

长江大保护与高质量发展研究系列丛书

长江保护与绿色发展研究院
江苏长江保护与高质量发展研究基地 ◎ 组织编写

政策卷
POLICY VOLUME

河海大学出版社
HOHAI UNIVERSITY PRESS
·南京·

图书在版编目(CIP)数据

长江大保护与高质量发展研究系列丛书. 政策卷 / 长江保护与绿色发展研究院，江苏长江保护与高质量发展研究基地组织编写. -- 南京 ：河海大学出版社，2024. 11. -- ISBN 978-7-5630-9551-3

Ⅰ. X321.25；F127.5

中国国家版本馆 CIP 数据核字第 2024V3C192 号

书　　名　长江大保护与高质量发展研究系列丛书.政策卷
　　　　　CHANGJIANG DABAOHU YU GAOZHILIANG FAZHAN YANJIU XILIE CONGSHU. ZHENGCE JUAN
书　　号　ISBN 978-7-5630-9551-3
策划编辑　朱婵玲
责任编辑　齐　岩　岳盈娉
特约校对　黎　红
装帧设计　林云松风
出版发行　河海大学出版社
地　　址　南京市西康路 1 号(邮编:210098)
电　　话　(025)83737852(总编室)
　　　　　(025)83722833(营销部)
经　　销　江苏省新华发行集团有限公司
排　　版　南京布克文化发展有限公司
印　　刷　南京工大印务有限公司
开　　本　787 毫米×1092 毫米　1/16
印　　张　12.5
字　　数　227 千字
版　　次　2024 年 11 月第 1 版
印　　次　2024 年 11 月第 1 次印刷
定　　价　72.00 元

《长江大保护与高质量发展研究系列丛书》编委会

总序

进入21世纪以来，中国经济已由高速增长阶段转向高质量发展阶段，正处于转变发展方式、优化经济结构、转换增长动力的攻关期，由粗放型增长向高质量、绿色增长转变成为实现可持续发展的必然选择。长江是中华民族的母亲河之一，横跨东、中、西部，联通南北，成为中华民族发展的重要支撑。推动长江经济带高质量发展是以习近平同志为核心的党中央作出的重大决策，是关系国家发展全局的重大战略。共抓长江大保护，构建长江新发展格局，推动长江经济带高质量发展，是国家经济社会发展的重要组成部分，是功在当代、惠泽长远的重大决策部署，对实现"两个一百年"奋斗目标、实现中华民族伟大复兴的中国梦具有重要意义。

2014年9月，国务院印发了《关于依托黄金水道推动长江经济带发展的指导意见》，将长江经济带发展上升为国家战略。2016年9月，《长江经济带发展规划纲要》正式印发，确立了"一轴、两翼、三极、多点"的发展新格局。2016年1月，在重庆召开的推动长江经济带发展座谈会上，习近平总书记提出"共抓大保护、不搞大开发"的新理念。2017年10月，党的十九大报告又将"以共抓大保护、不搞大开发为导向推动长江经济带发展”纳入新时代实施区域协调发展战略的重要内容。2018年4月，习近平总书记在武汉召开的深入推动长江经济带发展座谈会上强调，加强改革创新、战略统筹、规划引导，以长江经济带发展推动经济高质量发展。2020年11月，习近平总书记在南京召开的全面推动长江经济带发展座谈会上进一步强调，要谱写生态优先绿色发展新篇章，打造区域协调发展新样板，构筑高水平对外开放新高地，塑造创新驱动发展新优势，绘就山水人城和谐相融新画卷，使长江经济带成为我国生态优先绿色发展主战场、畅通国内国际双循环主动脉、引领经济高质量发展主力军。2020年12月，十三届全国人大常委会第二十四次会议表决通过《中华人民共和国长江保护法》，明确提出建立长江流域协调机制和区域协作机制，增强长江保护和发展的系统性、整体性、协同性，“共抓大保护、不搞大开发”正式写入我国法律。2021年11月，《中共中央 国务院关于深入打好污染防治攻坚战的意见》印发实施，明确要求持续打好长江保护修复攻坚战，为新时期长江保护修复工作指明了方向。

围绕贯彻落实习近平总书记系列重要讲话精神和党中央、国务院关于推动长江经济带发展战略部署，2019年6月，在教育部、水利部、江苏省、三峡集团的关心支持下，河海大学与南京水利科学研究院主动服务国家重大战略，发挥政产学研各方面优势，共同组建“长江保护与绿色发展研究院”。研究院聚焦国家重大战略需求，深度对接院所企业科技创新资源，整合优势创新力量，以保障长江水安全和补齐长江大保护领域重大问题短板为导向，以重大科技项目为引领，以高水平创新平台为支撑，通过建立共担科技项目、共建研发平台、共促成果转化、共用科技人才、共享科技资源，形成多元开放、优势互补、集成高效的融合发展新机制，建设一个从宏观战略到微观治理、从规划布局到技术实施、从商业模式到科技金融等全面综合的新型研究机构，为长江大保护和长江经济带发展提供有力的科技支撑和智力保障，为中国乃至全球大江大河治理保护提供智慧和方案。此外，河海大学充分发挥水利学科优势、经管文法多学科发展特色，主动融入和服务长江经济带发展，成立了江苏长江保护与高质量发展研究基地。该基地于2019年入选江苏省决策咨询研究基地，作为长江保护与绿色发展研究院的智库载体和平台，积极成为助力长江大保护和江苏长江经济带高质量发展的新型智库。

《长江大保护与高质量发展研究系列丛书》是由长江保护与绿色发展研究院、江苏长江保护与高质量发展研究基地推出的智库产品。丛书分为综合卷、经济卷、社会卷、生态卷、法治卷、政策卷和文化卷七部分，其中：综合卷系统梳理了长江经济带社会经济、科技创新和绿色低碳高质量发展总况、存在问题及对策建议；经济卷主要分析了长江经济带经济高质量发展的政策环境及面临的挑战，在对长江经济带经济发展质量进行测度评价的基础上，对典型地区的产业高质量发展实践进行了考察；社会卷立足于长江经济带生态文明建设过程中的社会形势，从社区生态文明建设、民间环保组织实践及环境政务建设三方面展开调查研究；生态卷基于长江流域生态健康评价，重点阐述了长江生态环境的现状与存在问题、长江流域生态环境保护的实践与成效以及长江流域生态环境的修复与治理对策；法治卷讨论了《中华人民共和国长江保护法》的制定背景与制度创新、法治困境及推动长江经济带高质量发展的法治建议，分析了长江大保护与高质量发展中的典型法治案例；政策卷重点介绍了长江保护政策的变迁历程、实施现状及地方探索，对长江水资源开发利用政策、水生态保护修复政策、产业绿色发展政策的实施效果进行了评价；文化卷阐述长江水利、移民、灌溉、抗洪、航运、桥梁文化的发展历程，以及长江文化的弘扬和传承之路。

呈现在读者眼前的这套丛书，是我们长江保护与高质量发展研究系列成果的一部分。我们期望这一系列的探索，能够为政府、企业、科研院所、高校的相关研究提供深入而系统的基础支持；能够成为观察长江经济社会发展新成就、新理论、新走向的重要理论高地；能够推动学界、市场与政策制定者们更加关注长江保护与绿色发展；能够为落实“长江大保护”国家战略提供智慧支持。

长江保护与绿色发展研究院（生态文明建设与流域保护研究院）
江苏长江保护与高质量发展研究基地

目录 CONTENTS

01

第一章

长江保护政策变迁历程

1.1 水资源开发利用政策历史沿革

水资源开发利用是指应用各种工程和非工程措施，从兴利、除害双重角度对水资源开发及利用进行考虑，通过治理、调节、控制、配置、保护、管理及流域与地区间的协调，达到使水资源按时按地、按质按量为国民经济各部门服务的效果。水资源开发利用兼有防洪、灌溉、供水、发电、航运、水产养殖等综合效益，对带动全流域经济发展、提高国民经济发展质量具有重要意义。长江流域是一个社会-经济-自然复合生态系统，其涵盖地区多、辐射范围广、影响程度深，自中华人民共和国成立以来，党和国家就高度重视长江流域的水资源开发利用，以其为杠杆推动全流域发展，为国民经济发展提供后备保障。具体而言，长江流域水资源开发利用发展可划分为以下三个阶段。

1.1.1 探索萌芽阶段(1949—1980 年)

1949 年中华人民共和国成立后，长江水资源治理开发进入了一个崭新的时期，这一阶段的主要工作是探索论证，为科学合理地利用与开发长江流域水资源论证技术可行性并探索合理路径。1950 年初水利部长江水利委员会(以下简称长江委)成立，开启长江流域水资源保护开发新篇章。1955 年 3 月长江勘测规划设计研究院基于前期勘测研究基础正式开始对长江重要支流汉江流域进行规划工作，并于 1956 年提出简短报告，经后续调整修正，1958 年，长江委完成了《汉江流域规划报告节要》，明确流域水利任务为防洪、灌溉、发电、航运，远景考虑引汉济黄济淮。同年 3 月，周恩来总理在中央政治局成都会议上作了关于三峡水利枢纽和长江流域规划工作的报告，会议通过了《中共中央关于三峡水利枢纽和长江流域规划的意见》，该年年底，长江流域规划办公室(以下简称长办)提出《长江流域综合利用规划要点报告》，报告提出以防洪发电为主的综合利用水利枢纽开发规划，以防洪除涝为主的平原湖泊区综合利用规划，以灌溉、水土保持为主的水利规划，以航运为主的干流航道整治与南北运河规划，以及向相邻流域引水的规划等，为长江流域水资源综合开发与利用描绘远景蓝图。1959 年后，长办及有关单位按照成都会议确定的方针和分工，继续开展各河段及主要支流地区的规划论证工作。1968 年，丹江口水库第一台 15 万千瓦机组投产发电，为满足江汉平原及华中地区工农业正常生产生活需要服务；1978 年，中华人民共和国第五届全国人民代表大会第一次会议通过的

《政府工作报告》正式提出兴建把长江水引到黄河以北的南水北调工程。这一阶段对长江水资源进行了初步的开发利用及基础探索，为后续水利基础设施建设及水资源科学合理开发利用提供了坚实保障。

1.1.2 开发利用阶段(1980—2000年)

改革开放以来，党和国家深入推进长江水资源开发利用科技攻关，并在此基础上形成政策法规，以制度形式保障水资源开发利用为经济建设服务、为人民生活服务、为国家发展服务。在水资源开发利用基础研究方面，国家先后开展"六五"、"七五"、"八五"和"九五"四期国家攻关项目。国家第六个五年计划确定了水资源量的评价方法，并对华北地区的地表、地下水资源量达成了共识；后续的五年计划依次摸清了华北地区"四水"转化规律，将水资源开发利用与区域宏观经济联系起来进行研究，并针对西北干旱区生态环境极端脆弱的特点，将水资源与经济、生态联系起来一起研究，考虑水资源作为我国经济发展的资源基础和生态系统中最活跃因子的相互依存和相互制约的转化规律，在区域生态需水量和水资源承载能力方面有所突破，为长江流域21世纪可持续发展战略的制定提供了科学依据。此外，中国水利水电科学研究院水资源研究所、南京水利科学研究院水文水资源研究所等科研单位和清华大学、河海大学、武汉水利电力大学(今武汉大学)等高校也积极参与国际水资源前沿研究，开展了华北水资源研究项目、湖北省四湖地区水资源优化调度研究项目、华北宏观经济水资源模型研究等基础研究项目。[①] 在政策制定方面，1982年，中华人民共和国国务院(以下简称国务院)进一步完善修改《长江流域综合利用规划要点报告》，并把长江水资源的综合开发利用规划列入国家长远规划；1983年12月，中华人民共和国国家计划委员会报经国务院批准，批复了《长江流域综合利用规划要点报告修订补充任务书》；1985年5月，在国务院各有关部委和有关省的厅局的共同努力下提出了《长江流域综合利用规划要点修订补充报告纲要》的阶段性成果；1988年3月由长办综合汇总提出了《长江流域综合利用规划要点修订补充报告纲要》(讨论稿)，经过后续审查修订，国务院于1990年正式批转全国水资源与水土保持工作领导小组《关于长江流域综合利用规划简要报告的审查意见》。1988年，第六届全国人民代表大会常务委员会第二十四次会议通过《中华人民共和国水法》(以下简称《水法》)，以法律形式对水资源开发利用作出专项规定。1992年，第七届全国人民代表大会第五次

① 南水仙. 山西省水资源开发利用及其潜力研究[D]. 咸阳：西北农林科技大学，2007.

会议表决通过了关于兴建长江三峡工程的决议，长江流域水资源开发得到进一步推进。这一阶段的工作大力推动了长江流域水资源全面开发利用，将水资源开发利用与经济、生态、民生相结合，长江流域防洪、治涝、水力发电、航运、灌溉、水土保持、南水北调、水产、沿江城市布局、城市供水、水资源保护与环境影响评价、旅游等方面的工作均取得可喜进展。

1.1.3 稳步发展阶段(2000 年至今)

进入 21 世纪，长江流域水资源开发持续向纵深发展，南水北调、三峡工程等重大水利工程建设稳步推进，水资源开发利用政策走向精细化、全面化，涵盖河道管理、水利设施管理、供水防汛等各个方面，水资源利用许可、征地补偿、移民安置等配套措施也不断健全。2000 年 6 月，南水北调工程规划有序展开，总体格局定为西、中、东三条线路，分别从长江流域上、中、下游调水；2001 年，《长江三峡工程建设移民条例》发布；2002 年，中共中央政治局常务委员会会议审议并通过了经国务院同意的《南水北调工程总体规划》；同年，国务院办公厅转发国务院体改办关于《水利工程管理体制改革实施意见》，进一步规范了长江流域水利工程管理工作。此后，《大中型水利水电工程建设征地补偿和移民安置条例》《长江三峡水利枢纽安全保卫条例》《建设工程抗震管理条例》等配套法规条例陆续出台，重大水利工程的建设进一步优化水资源配置、促进区域协调发展，提高了长江水资源的综合利用效率，长江流域水资源开发利用继续平稳推进。2020 年《中华人民共和国长江保护法》(以下简称《长江保护法》)的出台，以法律形式对长江流域水资源开发利用作出更为明确具体的规定，强调统筹长江流域水资源合理配置、统一调度和高效利用，组织实施取用水总量控制和消耗强度控制管理制度，并加强对长江流域水能资源开发利用的管理，整改清退不合规水电工程，水资源开发利用工作得到进一步推进。

1.2 水生态保护修复政策历史沿革

水生态系统是指生态系统中由河流、湖泊等水域及其滨河、滨湖湿地组成的河湖生态子系统，是生态文明的重要组成部分。水生态空间能够为水文-生态过程提供场所，是保障水安全、维持水生态系统健康的生态空间，包含河流、湖泊等水域空间，也是水源涵养、蓄滞洪的区域范围，作为我国国土空间核心要素，对其他类空间具有保障与支撑作用。长江流域幅员辽阔，水生生境类型多样，水生生物资源丰富，是我国重要的生态宝库和战略水源地，在保障国家生态安全方面发挥着重要作用，同时也承载了区域经济社会发展的巨大负荷。20世纪80年代左右起，我国逐渐重视水资源保护工作，出台一系列政策平衡流域开发与保护，促进生态文明建设。

1.2.1 起步探索阶段(1978—2000年)

改革开放后，我国经济快速腾飞，在经济高速发展之下水资源保护工作开始得到相应重视，但整体而言依然实行“开发为主、保护为辅”的策略，保护修复工作以末端治理为主，尚缺乏源头预防思维，政策制定主要以局部城市河段治理为主，注重水质保护发展。1979年，长江委长江流域水资源保护局(以下简称长江水保局)提出全国第一个流域水质监测规划——《长江流域水质监测站网规划》，并于1985年在全国率先成立了以流域为单元的跨地区、跨部门“长江水质监测网”。在流域重点地区监测研究成果的基础上，先后出台《水质监测规范》和《水环境监测规范》，为水资源保护监管提供支撑。1984年，第六届全国人民代表大会常务委员会第五次会议通过《中华人民共和国水污染防治法》(以下简称《水污染防治法》)，以防治水污染、保护水生态为目标对水污染防治工作作出方向性指引。1987年，以长江干流主要城市江段为研究对象的《长江干流水资源保护规划报告》出台，系统梳理了长江流域水环境现状，提出污染负荷预测、水质模型研究、水质规划方案、水源保护对策措施及结论。1988年，长江水保局组织编制的《水资源保护工作手册》(1988年)发行，成为我国第一部水资源保护工具书，为水资源保护工作提供具体操作指南。此外，我国还分别于1984年和1996年先后完成了两次全国水质评价，并于1987年编写出版了《中国水资源评价》一书。总体而言，这一阶段基本以经济建设为主，以开发水资源、提高经济收入和GDP为主攻目标，水资源保护修复处于起步萌芽期。

1.2.2 发展完善阶段(2000—2012年)

进入21世纪后，水功能区概念被提出，进而出现基于水功能区的主要控制指标达标率及控制断面水质管理目标、水功能区限制排污总量意见、河流生态需水及控制断面生态基流、水资源开发利用上线、水环境质量底线等概念，水资源保护内容不断丰富，水资源保护规划体系逐步完善，在水资源保护内容上，从最初的水质保护发展到水质、水量、水生态协同保护，由最初的局部城市河段治理发展到区域和流域的整体保护。2000年前后，在国际上逐步得到认可的水资源可持续利用思想开始指导和影响我国的水资源利用与保护实践，并成为2002年开始的全国水资源规划工作的主要指导思想。在水生态保护修复实践方面，2001年，人水和谐思想被正式纳入现代治水思想中，成为我国新世纪治水思路的核心内容；2004年，中国水周活动以“人水和谐”为宣传主题，促进人水和谐思想进一步传播。党中央、国务院对水资源保护修复给予高度重视，系统开展大江大河治理、病险水库除险加固、重点城市防洪工程建设、蓄洪区安全建设等工作，2000年开始从博斯腾湖向塔里木河下游生态输水，2001年启动从嫩江向扎龙湿地应急生态补水，2002年启动从长江向南四湖应急生态补水，2004年完成“引岳济淀”生态应急补水工程，2006年启动“引黄济淀”生态补水工程。在其后数年间，我国的治水实践始终坚持人水和谐思想，在现代水资源管理工作中以实现人水和谐为目标，重视水资源综合利用、合理利用、科学利用。在政策制定方面，2002年长江委和水利部水利水电规划设计总院审查通过《长江片水资源保护规划报告》，该规划以水功能区作为基本单元，提出污染物控制方案，为长江流域水资源保护提供了重要的规划依据和技术支撑；2011年编制三峡库区水资源保护规划，以保障三峡库区水环境和水生态安全为主要任务，制定了符合三峡水库实际的水资源保护规划方案，构建了水资源保护工程体系、监控体系和管理体系，为指导三峡库区的水资源保护工作的重要依据。

1.2.3 生态文明建设阶段(2012年至今)

2012年，党的十八大明确提出要大力推进生态文明建设，水生态保护修复被提到了更高的位置，生态环境保护作为规划目标被纳入流域综合规划中，凸显了水资源保护与生态环境保护在流域综合规划中的地位。这一时期，水生态保护修复遵循“在保护中开发，在开发中保护”的理念，进一步强化了流域保护在流域综合规划中的地位，并以“维护健康长江，促进人水和谐”为宗旨，在水资源开发利用的过程中保护流域生态环境。生态文明理念一经提出，水资源保护思路也随之转变，首先明确规划范围的功能定位，将“生态优先”作为规划的原则之一，而后提出水资源保护规划中的生态保护红线、水环境质量底线和水资源开发利用上线，用以约束流域的水资源开发，实施水资源保护。2012年，长江委结合经济社会发展以及环境保护要求，以科学发展观为指导，参照可持续发展的治水思路完成了《长江流域综合规划(2012—2030年)》，明确提出加强“防洪减灾、水资源综合利用、水资源与水生态环境保护、流域综合管理”四大体系建设的规划任务，将水资源保护从以往的事后补救变为事先预防。《长江流域(片)水资源保护规划(2016—2030年)》则在总结以往规划成果和长江流域(片)水资源保护工作的基础上,统筹考虑地表水与地下水、水生态保护与修复、点源与非点源污染防治等方面的要求,对水生态保护修复进行了更为全面的规划。此后发布的《"十三五"生态环境保护规划》《长江经济带生态环境保护规划》《水污染防治行动计划》等法规条例均提及统筹协调、系统合作的水资源保护思想,2018年发布的《长江保护修复攻坚战行动计划》进一步指出以改善长江生态环境质量为核心推进长江保护修复工作,协同推动水污染治理、水生态修复、水资源保护。2020年,《长江保护法》将生态环境修复单列成章,指出要按照政策支持、企业和社会参与、市场化运作的原则,鼓励社会资本投入长江流域生态环境修复,维护长江良好生态功能,再次将长江流域水生态文明建设推向新高度。

1.3 长江经济带产业绿色发展政策历史沿革

绿色发展理念是全体人民在发展问题上的"最大公约数"之一,是构建高质量现代化经济体系的必然要求,是解决污染问题的根本之策。经济社会发展的长效动力保持必然需要依托于资源环境的有效支撑,促进产业绿色发展对于资源使用、人民生活、经济可持续发展、国际参与等方面均有重要意义。20世纪80年代中期,中国生产力经济学研究会首次提出长江经济带概念雏形,其内涵是以长江流域若干超级城市或特大城市为中心,通过其辐射作用和吸引作用联结各自腹地的大中小型城市和广大农村组成的经济区。长江经济带以长江流域为基底,包含上海、江苏、浙江、安徽等11个省和直辖市,面积约占全国总面积的20%,集聚了全国40%左右的人口,并创造了超过40%的GDP,是我国国民经济的重要支撑力量,在我国经济社会发展与生态环境保护方面都占有举足轻重的地位,走生态优先、绿色发展道路是其发展的应有之义。长江经济带产业绿色发展自1985年起大致可划分如下阶段。

1.3.1 萌芽阶段(1985—2000年)

20世纪80年代起,随着粗放型发展策略下环境污染的日益加重,我国开始意识到治污防污及产业绿色发展的重要性,国家权威部门机构对产品的生产、运输、消费过程进行审查、监督,并制定严格标准,向合乎"对环境友好无害"要求的产品颁发正式的绿色产品标识,绿色发展概念开始萌芽。这一阶段的产业绿色发展处于启蒙期，市场化政策处于探索阶段，总体遵循谁污染谁治理思路，对污染物排放标准进行控制，强调污染的末端治理，还未形成成熟的产业绿色发展思想。1985 年，我国开始实行排污许可证制度试点工作；1989 年，第三次全国环境保护会议将排污许可证制度正式确立为我国环境管理八项基本制度之一，并在全国范围内试行；1992 年，引入可持续发展理念；1995 年，《中华人民共和国大气污染防治法》规定将全国划分为酸雨控制区和二氧化硫污染控制区（两控区）；1996 年，《国民经济和社会发展“九五”计划和 2010 年远景目标纲要》将可持续发展战略列为国家基本战略；1998 年，国务院正式批准《酸雨控制区和二氧化硫污染控制区划分方案》，二氧化硫排污费等一系列政策措施相继出台；1999 年，《淘汰落后生产能力、工艺和产品的目录》发布。总体来看，这一阶段的产业绿色发展具有“开放认识、积极推进”的特征，政策方针多聚焦全国范围，具有普适性和引领性，暂未形成针对长江经济带的局域性产业绿色发展指导政策。

1.3.2　发展阶段(2000—2016 年)

进入 21 世纪，经济发展向以资源要素为驱动的发展方式转变，污染治理由事后治理转向事前监督，产业升级转型和绿色发展得到大力推进。党的十六大以来，提出的科学发展观要求把人的发展、协调发展和可持续发展结合起来。自此，产业绿色发展进程不断加速，取得显著成效。2000 年国家发展计划委员会和国家经济贸易委员会发布《当前国家重点鼓励发展的产业、产品和技术目录（2000 年修订）》。2002 年国家经济贸易委员会发布了《淘汰落后生产能力、工艺和产品的目录》（第三批）；2002 年颁布了《中华人民共和国清洁生产促进法》。2004 年 8 月中华人民共和国国家发展和改革委员会（以下简称国家发展改革委）、中华人民共和国国家质量监督检验检疫总局联合发布了《能源效率标识管理办法》；2004 年《中华人民共和国固体废物污染环境防治法》得到修订。2005 年国务院发布实施《促进产业结构调整暂行规定》；2005 年《国务院关于加快发展循环经济的若干意见》指出，要有序开展循环经济示范试点工作，树立一批先进典型。2015 年，中共中央、国务院发布《关于加快推进生态文明建设的意见》，明确提出大力发展“绿色产业”；同年，《中国制造 2025》发布，提出“全面推行绿色制造”。一系列法规制度的实施为加快传统产业转型升级和促进绿色产业发展起到助推作用，也给长江经济带发展“低耗能、低污染”的绿色产业提供了规范和标准。总体而言，这一阶段突出反映了“建章立制、有序推进”的特征，产业绿色发展政策趋向多维化、精细化、标准化。

1.3.3 腾飞阶段(2016 年至今)

2016 年，习近平总书记在推动长江经济带发展座谈会上发表重要讲话，指出要把修复长江生态环境摆在压倒性位置，共抓大保护，不搞大开发。自此，党和国家将长江经济带产业绿色发展放在关系国家发展全局的重要战略高度并给予高度重视，产业绿色发展政策进入加速腾飞新阶段。2016 年，《长江经济带发展规划纲要》明确将长江经济带发展的战略定位于生态优先、绿色发展，共抓大保护、不搞大开发。2017 年 6 月，《关于加强长江经济带工业绿色发展的指导意见》发布，从提高工业资源能源利用效率、全面推进绿色制造、减少工业发展对生态环境的影响的角度，提出实现绿色增长的指导意见；同年 7 月，《长江经济带生态环境保护规划》编制并印发，遵循“生态优先、绿色发展”“统筹协调、系统保护”“空间管控、分区施策”“强化底线、严格约束”“改革引领、科技支撑”这五项原则。2020 年，《长江保护法》首次以法律形式明确各部门各地区的法律责任，健全全流域执法监督体制，加强水资源管理、水环境治理等方面的执法力度，实现监测数据与环保部门及水行政主管部门共享，结合我国当前的四部涉水一般法，与生态环境行政执法、公益诉讼和刑事司法相衔接，强调国务院有关部门和长江流域地方各级人民政府应当按照长江流域发展规划、国土空间规划的要求，调整产业结构，优化产业布局，推进长江流域绿色发展。2021 年，国家发展改革委修订印发《重大区域发展战略建设(长江经济带绿色发展方向)中央预算内投资专项管理办法》，该专项中央预算内投资用于支持符合推动长江经济带发展年度工作要点明确的重点工作任务，为探索走出一条“生态优先，绿色发展”的新路子、保护和修复长江生态环境、推动对生态产品价值实现具有重要意义的长江经济带绿色发展项目提供资源支撑；同年，《“十四五”长江经济带发展实施方案》及重点领域、重点行业的专项规划和实施方案基本编制完成，形成了以《“十四五”长江经济带发展实施方案》为统领，以综合交通运输体系规划和环境污染治理“4＋1”工程、湿地保护、塑料污染治理、重要支流系统保护修复等系列专项实施方案为支撑的“十四五”长江经济带发展“1＋N”规划政策体系。这一阶段的长江经济带战略重心基本实现从“大开发”到“大保护”的转变，政策体系更加全面具体，对推动生态文明建设、优化空间产业结构、促进经济健康发展具有重要作用。

02

第二章

长江保护政策实施现状

根据《水利部办公厅关于印发2020年水利工程建设工作要点的通知》，2020年水利工程建设工作的总体思路是：以习近平新时代中国特色社会主义思想为指导，深入贯彻习近平总书记提出的“节水优先、空间均衡、系统治理、两手发力”治水思路，认真落实全国水利工作会议精神，积极践行“水利工程补短板、水利行业强监管”水利改革发展总基调，紧紧围绕推进重点水利工程实施、有效管控工程建设质量、引导水利建设市场良性发展等重点工作，攻坚奋进破难题，提档升级谋发展，强基固本守底线，改革创新增活力，推进水利工程建设工作取得新的更大成效。①

2.1 长江水资源开发利用政策实施现状

2.1.1 政策内容

(1) 用水总量控制政策

长期以来，长江流域水资源的开发存在破坏式开采、无序开发的问题。在《长江经济带发展规划纲要》的部署下，“共抓大保护、不搞大开发”，坚守“三条红线”——水资源开发利用控制红线、用水效率控制红线和水功能区限制纳污红线，实行最严格水资源管理制度已经成为长江流域水资源开发共识。2017年7月，环境保护部、国家发展改革委、水利部出台《长江经济带生态环境保护规划》，指出要确立水资源利用上线，对长江上中下游各地区提出了具体的用水总量控制要求，到2020年，长江经济带相关区域用水总量控制在2 922.19亿立方米以内，到2030年，用水总量控制在3 001.09亿立方米以内。如表2-1所示，我们发现长江经济带上中下游各地区2030年和2020年用水总量控制要求的差额为0.02亿～17.79亿立方米，大部分地区在2020—2030年这10年间用水总量控制增幅不大，力图实现最大化控制用水总量的目标。

① 水利部办公厅关于印发2020年水利工程建设工作要点的通知[EB/OL].(2020-03-24). http://www.gov.cn/zhengce/zhengceku/2020-03/26/content_5495611.htm.

表 2-1　长江经济带 11 省市用水总量控制要求

分区	省市	2020 年要求（亿立方米）	2030 年要求（亿立方米）	2030 年和 2020 年要求的差额（亿立方米）
上游区	重庆	97.13	105.58	8.45
	四川	321.64	339.43	17.79
	贵州	134.39	143.33	8.94
	云南	214.63	226.82	12.19
中游区	江西	260.0	264.63	4.63
	湖北	365.91	368.91	3.0
	湖南	359.75	359.77	0.02
下游区	上海	129.35	133.52	4.17
	江苏	524.15	527.68	3.53
	浙江	244.40	254.67	10.27
	安徽	270.84	276.75	5.91
长江经济带		2 922.19	3 001.09	78.9

数据来源:《长江经济带生态环境保护规划》。

《长江保护法》的颁布也为进一步规范控制用水总量奠定了制度基础。《长江保护法》第二十九条规定,长江流域水资源保护与利用,应当根据流域综合规划,优先满足城乡居民生活用水,保障基本生态用水,并统筹农业、工业用水以及航运等需要。第三十条明确指出,国务院水行政主管部门有关流域管理机构商长江流域省级人民政府依法制定跨省河流水量分配方案,报国务院或者国务院授权的部门批准后实施。制定长江流域跨省河流水量分配方案应当征求国务院有关部门的意见。长江流域省级人民政府水行政主管部门制定本行政区域的长江流域水量分配方案,报本级人民政府批准后实施。国务院水行政主管部门有关流域管理机构或者长江流域县级以上地方人民政府水行政主管部门依据批准的水量分配方案,编制年度水量分配方案和调度计划,明确相关河段和控制断面流量水量、水位管控要求。另外,第三十一条还提出对生态用水的保障:国家加强长江流域生态用水保障。国务院水行政主管部门会同国务院有关部门提出长江干流、重要支流和重要湖泊控制断面的生态流量管控指标。其他河湖生态流量管控指标由长江流域县级以上地方人民政府水行政主管部门会同本级人民政府有关部门确定。

《"十四五"水安全保障规划》指出,水资源刚性约束制度基本建立,水资源利用效率和效益大幅提高。全国用水总量控制在 6 400 亿立方米以内,万元国内生产总值用水量、万元工业增加值用水量均较2020年下降16%左右，农田灌溉水有效利用系数提高到0.58。水资源配置工程体系更加完善，新增水利工程供水能力290亿立方米，地级及以上城市应急备用水源基本建立，农村自来水普及率达到88%，万亩①以上灌区灌溉面积达到5.14亿亩。农业水价综合改革深入推进，基本完成改革任务，促进农业节水。严格用水强度控制：健全覆盖主要农作物、工业产品和生活服务业的先进用水定额体系，建立用水定额标准动态修订机制。强化用水定额标准在相关规划编制、节水评价、取水许可管理、计划用水管理、节水载体创建、节水监督考核等方面的约束作用。健全省、市、县三级行政区用水强度管控指标体系，细化分解落实并严格考核各级行政区万元生产总值用水量、万元工业增加值用水量、农田灌溉水有效利用系数等用水效率管控指标。②

根据全国水利普查成果统计，长江流域已建成大、中、小供水水库5.16万座，已建水电站9 928座、水闸3.82万座、泵站4.42万处，已建引调水工程37处、农村供水工程2 234万处、塘坝387万座，目前还在呈现不断增加的态势。特别是长江中上游正在建设的西气东输、西电东送、南水北调、三峡工程等重大工程开发，将不断更新长江流域水资源利用基础数据，使水资源开发进入一个新的整合期。③

（2）取水许可政策

为加强长江流域水资源的统一管理，促进水资源的合理开发利用、保护和节约用水、计划用水，《水法》《长江流域综合利用规划简要报告》等法规、文件相继出台。

2014年颁布的《国务院关于依托黄金水道推动长江经济带发展的指导意见》特别强调，要严格相关规划和建设项目的水资源论证，优化沿江取水口的布局。《长江经济带生态环境保护规划》中指出建立重点用水单位监控名录，对纳入取水许可管理的单位和其他用水大户实行计划用水管理。《长江经济带沿江取水口、排污口和应急水源布局规划》中更是对合理规划长江沿江取水口布局提出了具体措施，针对生活取水口首次提出了“适宜取水区”和“不宜取水区”的分区概念，要求取水口取水总量以各城市用水总量为约束，工业、农业和生态等取水口的设置应避免影响生活取水，同时满足用水总量控制要求。

---

① 亩：面积单位，1亩≈666.67平方米。

② https://baike.so.com/doc/30094225-31715500.html.

③ 李强.长江流域生态环境改善及发展策略[J].长江技术经济，2019，3(S1)：13-15.

2018年，长江委印发《水资源管理及河道管理行政处罚自由裁量权细化标准》，进一步规范了长江委水资源管理及河道管理的执法工作，依法查处涉及水资源管理及河道管理的非法行为。分为未经批准擅自取水的或未依照批准的取水许可规定条件取水的；未取得取水申请批准文件擅自建设取水工程或者设施的；申请人隐瞒有关情况或者提供虚假材料骗取取水申请批准文件或者取水许可证的；伪造、涂改、冒用取水申请批准文件、取水许可证的；不按照规定报送年度取水情况的或拒绝接受监督检查或者弄虚作假的或退水水质达不到规定要求的；不按规定提供取水、退水计量资料的或擅自停止使用取退水计量设施的或擅自停止使用节水设施的；未安装计量设施的；计量设施不合格或者运行不正常的；拒不执行审批机关作出的取水量限制决定，或者未经批准擅自转让取水权的；建设项目的节水设施没有建成或者没有达到国家规定的要求，擅自投入使用的等十种具体情况，实施行政处罚自由裁量权。

为进一步加强和规范取水许可管理工作，长江委根据《取水许可和水资源费征收管理条例》和《取水许可管理办法》等现行水法规的规定，结合长江流域取水许可管理工作实际，修订完成了《长江水利委员会实施取水许可制度细则(2020年版)》(以下简称《细则》)，经长江委主任办公会议审议通过，于2020年12月24日印发实施。该《细则》共八章五十三条，主要内容包括：总则、管理权限、取水许可的申请和受理、取水许可的审查和决定、取水许可证的发放和公告、取水许可证的延续和变更、监督管理和附则。《细则》按照水利部有关授权核定补充了长江委在澜沧江以西(含澜沧江)区域的取水许可管理权限；按照“放管服”精神，明确了简化办理取水许可手续的情形及其程序，细化了取水许可管理中主要环节的行政时效及监管要求；增加了水资源论证报告书经专家评审后逾期未完成修改或修改不到位、在有效期届满前45日内才提交延续取水申请材料等相关法规未尽事宜的处理措施。《细则》的修订，为保护利用好长江水资源，依法开展流域取水许可管理，规范取水许可审批和取水活动，助推流域绿色高质量发展提供了制度保障。①②

《“十四五”水安全保障规划》强化水资源论证和取水许可管理。强化规划和建设项目水资源论证的实施，推进水资源论证区域评估制度，进一步发挥水资源在区域发展、相关规划和项目建设布局中的刚性约束作用。完善取水许可制度，规范取水许可管理，强化取水许可事中、事后监管，坚决纠正未经批准

---

① http://www.110.com/fagui/law_169618.html.

② http://www.cjw.gov.cn/xwzx/zjyw/51985.html.

擅自取水、超许可水量取水、超采地下水、无计量取用水等行为。严格水资源用途管制,在水资源紧缺和水资源过度开发利用地区,压减高耗水产业规模,发展节水型产业。运用信息化手段提升取用水动态监管能力。对取用水户等社会主体,加强取水许可执行、用水定额落实、用水计量等情况的全面监督。推进超载区取水许可限批。落实取用水总量控制主体责任,严格流域区域取用水总量控制。在水资源超载地区,按水源类型暂停相应水源的新增取水许可。对合理的新增生活用水需求以及通过水权转让获得取用水指标的项目,可以继续审批新增取水许可,但需严格进行水资源论证。临界超载地区要建立预警机制,限制审批新增取水许可,执行严格的用水定额和节水标准。①

(3) 节水政策

面对长江流域水资源利用率低、水能资源浪费的现象,提高用水效率是全面提升长江流域水资源开发利用效率和效益的重要举措,大力推广建设节水型社会则是提高长江流域用水效率的长久之策。新时期,我国的治水思路已经转变为“节水优先、空间均衡、系统治理、两手发力”,对于贯彻“节水优先”的方针,《国家节水行动方案》对长江流域节水工作也作出了重要指示。2020 年 5 月,长江委印发《2020 年节约用水工作要点及重点工作任务》(以下简称《要点》)。《要点》认真落实《国家节水行动方案》总体部署,积极践行水利改革发展总基调,把强化水资源刚性约束落到实处,为“把长江建设成为造福人民的幸福河”和“四个长江”建设提供有力支撑。《要点》提出,要充分发挥长江委的“指导、协调、监督、支撑”作用,重点推进节约用水顶层设计、用水定额评估、节水评价、重点监控用水户监管、县域节水型社会达标建设、节水宣传教育、取用水计量及统计、用水总量与效率管控、节水型机关建设等节约用水工作任务。到 2025 年,长江流域节约用水规划体系基本建立,节水管理能力和节水基础设施建设不断加强,节水评价工作稳步推进,非常规水利用占比进一步增大,用水效率和效益显著提高,全社会节水意识显著增强。②

不仅如此,2020 年《长江保护法》第六十八条指出,国家鼓励和支持在长江流域实施重点行业和重点用水单位节水技术改造,提高水资源利用效率。长江流域县级以上地方人民政府应当加强节水型城市和节水型园区建设,促进节水型行业产业和企业发展,并加快建设雨水自然积存、自然渗透、自然净化的海绵城市。长江委在积极落实《国家节水行动方案》的同时,在新冠疫情防

---

① http://www.mwr.gov.cn/zwgk/gknr/202201/P020220111700002740658.pdf.

② https://www.sohu.com/a/398337855_759382.

控常态化的情况下，统筹开展用水定额编制，利用水资源管理信息系统，深入推进县域节水型社会达标建设复核，制订工作计划，有力有序推动委属企事业单位开展水利行业节水机关建设。《长江水利委员会落实〈国家节水行动方案〉任务分工方案》的印发，为进一步推进长江流域水资源节约集约利用，强化流域水资源刚性约束，促进提升流域水资源利用效率提供了有力保障。① 2022年1月印发的《"十四五"水安全保障规划》指出，"十四五"期间要抓好8个方面重点任务，其中之一就是实施国家节水行动，强化水资源刚性约束。按照"严管控、抓重点、建机制"的思路，实施国家节水行动方案，推动水资源利用方式进一步向节约集约转变，加快形成节水型生产、生活方式和消费模式。②

根据《"十四五"水安全保障规划》，我国水资源节约集约利用水平不断提高。实施国家节水行动方案，落实最严格水资源管理制度，推进水资源消耗总量和强度双控，全国用水总量控制在6 100亿立方米以内，万元国内生产总值用水量和万元工业增加值用水量分别下降28%和39.6%。南水北调东中线一期工程持续向北方受水区调水，1.2亿人直接受益，连续实施珠江枯水期水量调度，确保澳门等珠三角地区供水安全。引黄入冀补淀、牛栏江-滇池补水等工程建成并发挥效益，滇中引水、引江济淮、珠江三角洲水资源配置等工程开工建设，水资源配置格局不断完善，供水保障能力进一步提升。持续推进大中型灌区续建配套与节水改造，建成湟水北干、四川武引二期灌区等大型灌区，新增恢复改善灌溉面积2亿多亩，农田灌溉水有效利用系数提高到0.565，为夺取农业连年丰收、保障国家粮食安全提供了坚实保障。③

2.1.2 政策实施中存在的问题

(1) 长江经济带地下水开发利用程度低

长江流域水资源总量虽较丰沛，但时空分布不均，供水工程不足，水资源开发利用仍存在一系列问题。长江流域地下水资源丰富，降雨和地表径流对地下水的补给充足，与全国其他流域特别是北方地区相比，长江流域地下水开发利用水平较低，2006—2019年年均地下水开采量仅为地下水资源量的3.21%。长江上游西部地区人口稀少，地形复杂，耕地分散，开发难度较大，水资源开发利用的工程条件较差，水资源开发利用程度较低；下游地区特别是长江三角洲地区，人

---

① http://www.gov.cn/xinwen/2020-04/05/content_5499233.htm.

② https://www.360kuai.com/pc/9c71839ff50cc7e7e?cota=3&kuai_so=1&tj_url=so_vip&sign=360_57c3bbd1&refer_scene=so_1.

③ https://baike.so.com/doc/30094225-31715500.html.

口密集，经济较发达，开发利用条件相对较好，其水资源开发利用程度较高。

中国人均地下水拥有量为172.97立方米，人均地下水资源拥有量与经济发展增加的用水需求之间的矛盾加深，尤其是长江下游地区，2020年，上海市的人均地下水资源仅为56.96立方米。长江流域人均地下水资源区域分布与地区经济发展水平呈反比，在经济发达的江浙沪地区，人均地下水资源较少，而在经济欠发达的西南地区，人均地下水资源超过了平均水平。2020年，长江流域人均地下水拥有量排名前三的分别是四川省、湖南省、青海省，分别为723.21立方米、659.98立方米、644.43立方米；万元产值地下水用水量排名前三的分别是青海省、四川省、贵州省，分别为130.31立方米、125.15立方米、114.67立方米。

地下水供水量数据表明：长江流域地下水供水量总体呈下降趋势，开发利用程度逐年降低。2005—2014年，地下水供水量总体保持稳定；2014年以后，地下水供水量显著减少，2014年为81.28亿立方米，2019年降至59.7亿立方米。2011年中华人民共和国环境保护部发布的《全国地下水污染防治规划（2011—2020年）》要求到2015年初步遏制地下水水质恶化趋势。在此背景下，长江流域自2014年起，地下水供水量显著减小。地下水供水量在总供水量中的占比也呈下降趋势，2005年为4.33%，2014年降至4.04%，2019年为2.9%，2020年仅占2.6%。

（2）局部地区供用水矛盾较为突出

针对长江流域综合规划现状的供需平衡分析结果表明，在50%、75%、90%保证率的情况下，全流域分别缺水14亿立方米、38亿立方米和101亿立方米，主要集中在四川盆地腹地、滇中高原、黔中、湘南、湘中、赣南、唐白河、鄂北岗地等地区；工程性、资源性和水质性缺水并存。长江流域以工程性缺水为主，上游和河源的局部地区存在资源性缺水问题，中游地区人类活动是造成下游地区地下水补给能力减弱、地下水水位持续下降和生态环境退化的重要因素。下游地区特别是一些沿江城市和部分湖泊存在水质性缺水情况，局部地区存在深层承压水利用量较大的现象；农村饮水安全缺乏保障。部分农村地区高氟水、高砷水、苦咸水分布区及血吸虫病疫区形势严峻，用水效率不高。部分地区水资源利用方式很粗放，节水管理与节水技术比较落后，用水浪费现象仍较严重。①

---

① 黄长生，周耘，张胜男，等. 长江流域地下水资源特征与开发利用现状[J]. 中国地质，2021，48(4)：979-1000.

(3) 水资源统一管理薄弱,公众参与意识不强

多年来,一些地方水资源管理部门分割、地区分割,造成"多龙管水"的局面,令防洪抗旱减灾、城乡用水、防治污染、保护生态环境等工作中存在很多矛盾。现行水资源管理体制使水量和水质管理被人为分割。水利与其他部门对水环境的管理不协调,防治水污染与节水的社会公众意识不强,致使防洪减灾、城市供水、防治水污染和保护生态环境等水问题难以统筹解决,水资源的统一管理急需强化。①

(4) 水资源保护刚性约束机制亟待建立

流域水资源环境承载能力评估工作亟须推进,手段完备、数据共享、实时高效、管控有力、多方协同的资源环境承载能力监测预警长效机制尚未建立。生态流量保障率、饮用水水源地水质达标率等水资源保护评估指标对流域规划和建设项目的约束不够,水资源保护刚性管控要求有待进一步落实,流域水资源保护刚性约束机制亟待加快建立。

(5) 流域管理能力有待提升

流域水资源保护管理法规体系尚不健全,亟须建立能够与《长江保护法》配套实施的流域水资源保护规范体系,水源地保护管理、生态需水保障等专项性规范政策缺失。流域管理和区域管理相结合的水生态保护协调机制尚不完善,流域生态补偿机制进展缓慢,稳定增长的投入机制、公众参与机制尚待完善。流域水生态环境监测体系尚不健全。②

2.2 水生态保护修复政策实施现状

2.2.1 政策内容

(1) 水资源保护政策

在水资源保护思路方面,由最初的以末端治理为主发展到规划引领、源头预防。过去的水资源保护工作往往以开发为主、保护为辅,至 20 世纪 90 年代,逐步发展到保护与开发并重。进入 21 世纪以后,水资源保护思路逐步转变为

---

① 陈肃利,张金锋,张军.长江流域水资源配置思路探讨[J].人民长江,2006(7):18-20.

② 刘扬扬,王孟,邓瑞,等.《长江保护法》施行后流域水资源保护的思考[J].人民长江,2021,52(10):135-140.

"保护为主、保护优先"。近年来,水资源保护被提到了更高的地位,生态环境保护作为规划目标被纳入流域综合规划中,凸显了水资源保护与生态环境保护在流域综合规划中的地位。水资源与水生态环境保护也被认作流域综合规划的四大体系之一,水资源保护规划体系不断完善,规划理念不断改进,"在保护中开发,在开发中保护"的理念进一步强化了流域保护在流域综合规划中的地位,并以"维护健康长江、促进人水和谐"为宗旨,在水资源开发利用的过程中保护流域生态环境。生态文明理念一经提出,水资源保护规划相应转变思路,首先明确规划范围的功能定位,将"生态优先"作为规划的原则之一,并提出水资源保护规划中的生态保护红线、水环境质量底线和水资源开发利用上线,用以约束流域的水资源开发,实施水资源保护。

在水资源保护内容方面,从最初的水质保护发展到水质、水量、水生态协同保护,由最初的局部城市河段治理发展到区域和流域的整体保护。进入21世纪后,提出了水功能区的概念,进而提出了基于水功能区的主要控制指标达标率及控制断面水质管理目标、水功能区限制排污总量意见、河流生态需水及控制断面生态基流、水资源开发利用上线、水环境质量底线等,水资源保护内容不断丰富,水资源保护规划体系逐步完善。目前,在流域与区域相结合、水功能区和入河排污口监督管理、饮用水水源地保护、生态水量、水资源配置和生态调度、水资源保护监测、水生态保护等方面均取得了长足进步,形成了相对完善的流域水资源保护体系。①

《长江保护法》明确提出了生态用水保障、饮用水水源地保护、水生态保护与修复、地下水保护等水资源保护重点任务。第一,加强生态用水保障。《长江保护法》规定,国家加强长江流域生态用水保障。明确国家、地方水行政主管部门在生态流量管控指标确定工作中的职责权限,明确将生态水量纳入年度水量调度计划予以保障,并由流域管理机构组织实施,明确建立水工程常规生态调度机制,按水工程下泄流量监管要求,严格生态流量监管法律责任,进一步强化流域生态流量监督管理。第二,加强饮用水水源地保护。《长江保护法》落实国家饮水安全战略要求,规定国家加强长江流域饮用水水源地保护。按照分级管理原则,由国家和省级水行政主管部门分级制定长江流域饮用水水源地名录。明确加强饮用水水源的监督管理,包括保护区划分、取水口布局、突发事件应急预案、备用水源建设、水质监测。《长江保护法》对长江流域饮用

---

① 李斐,翟红娟,刘扬扬.长江流域水资源保护发展历程与思考[J].水利水电快报,2020,41(2):60-64.

水水源地保护管理工作实践进行总结提升，为安全饮水提供坚实的法治保障。第三，加强水生态保护与修复。《长江保护法》明确由国家水行政主管部门配合编制长江流域生态环境修复规划。按照分级管理权限，牵头制定并组织实施长江流域河湖水系连通修复方案。对太湖、鄱阳湖、洞庭湖等重点湖泊以及三峡库区、丹江口库区等重点库区和长江河口开展生态修复，持续改善长江水生态环境。第四，加强地下水保护。《长江保护法》规定国家加强长江流域地下水资源保护，包括开展地下水资源状况调查评估，地下水水量、水位、水环境质量监测和风险防范，保障地下水资源安全。①

(2) 水生态修复政策

水生态作为生态文明建设的重要组成部分，以统筹推进“三水共治”为总体要求加强水生态修复。《长江保护法》第五章突出生态环境修复在长江立法中的重要地位，其中第五十二条规定，国家对长江流域生态系统实行自然恢复为主、自然恢复与人工修复相结合的系统治理。国务院自然资源主管部门会同国务院有关部门编制长江流域生态环境修复规划，组织实施重大生态环境修复工程，统筹推进长江流域各项生态环境修复工作。同时第五十四条指出，国务院水行政主管部门会同国务院有关部门制定并组织实施长江干流和重要支流的河湖水系连通修复方案，长江流域省级人民政府制定并组织实施本行政区域的长江流域河湖水系连通修复方案，逐步改善长江流域河湖连通状况，恢复河湖生态流量，维护河湖水系生态功能。第五十六条明确指出，国务院有关部门会同长江流域有关省级人民政府加强对三峡库区、丹江口库区等重点库区消落区的生态环境保护和修复，因地制宜实施退耕还林还草还湿，禁止施用化肥、农药，科学调控水库水位，加强库区水土保持和地质灾害防治工作，保障消落区良好生态功能。

2018 年的《长江保护修复攻坚战行动计划》把修复长江生态环境摆在压倒性位置，融入长江经济带发展的各方面和全过程。以长江保护修复推动形成节约资源和保护生态环境的文化理念、产业结构、生产和生活方式，以高质量发展成果提升长江保护修复水平，努力实现长江发展与保护和谐共赢，并严格落实岸线保护修复。实施长江岸线保护和开发利用总体规划，统筹规划长江岸线资源，严格分区管理与用途管制。落实河长制、湖长制，编制“一河一策”“一湖一策”方案，针对突出问题，开展专项整治行动，严厉打击筑坝围堰等违

---

① 李斐，翟红娟，刘扬扬. 长江流域水资源保护发展历程与思考[J]. 水利水电快报，2020，41(2)：60-64.

法违规行为。推进长江干流两岸城市规划范围内滨水绿地等生态缓冲带建设。落实岸线规划分区管控要求，组织开展长江干流岸线保护和利用专项检查行动。2020 年底前，基本完成岸线修复工作，恢复岸线生态功能。①

(3) 生物多样性政策

长江流域是我国重要的水源地和水生生物宝库，维系着我国众多珍稀濒危物种和重要水生经济物种的生存与繁衍。目前，长江流域已建立水生生物、内陆湿地自然保护区 119 处，其中国家级自然保护区 19 处；国家级水产种质资源保护区 217 处。但由于多年来受拦河筑坝、水域污染、过度捕捞、航道整治、岸坡硬化、挖砂采石等人类活动的影响，长江生物多样性持续下降，水生生物保护形势依旧严峻，水域生态修复任务仍然艰巨。为更好地保护长江珍稀物种，减缓水生生物多样性下降趋势，可采用迁地保护与增殖放流相结合的方式，两手共同推进。一方面，要做好珍稀物种迁地保护建设。2017 年发布的《长江经济带生态环境保护规划》和 2018 年发布的《重点流域水生生物多样性保护方案》均强调要加强长江流域珍稀特有水生生物和水生生物多样性迁地保护建设，推动建立渔业资源保护与修复和水产种质资源库。此外，国务院办公厅于 2018 年发布了《国务院办公厅关于加强长江水生生物保护工作的意见》，其中指出，在重要水生生物产卵场、索饵场、越冬场和洄游通道等关键生境实施一批重要生态系统保护和修复重大工程，构建生态廊道和生物多样性保护网络，优化生态安全屏障体系。作为长江下游的重要省份，江苏省在 2017 年发布的《省政府关于印发江苏省生态河湖行动计划（2017—2020 年）的通知》中也进一步提出了加强水域生境修复及水生生物资源养护的要求，通过人工干预、生物调控、自然恢复等多种措施，修复水生生物栖息地，打通鱼类洄游通道，丰富生物多样性。另一方面，也要合理采用增殖放流的手段，促进过鱼设施建设。《国务院办公厅关于加强长江水生生物保护工作的意见》指出要科学开展增殖放流。长江流域要进一步完善增殖放流管理机制，建立健全放流苗种管理追溯体系和加强放流效果跟踪评估，同时防范外来物种入侵和种质资源污染。《省政府关于印发江苏省生态河湖行动计划（2017—2020 年）的通知》也进一步明确了加大长江、太湖、洪泽湖等重点水域珍稀物种和重要经济鱼类的放流力度。此外，《长江经济带生态环境保护规划》及上述文件也指出，要进一步加强过鱼设施建设，更好地满足水生生物洄游习性和种质交换需求。

2018 年 12 月，中华人民共和国生态环境部（以下简称生态环境部）会同国

---

① http://www.gov.cn/xinwen/2019-01/26/content_5361365.htm.

家发展改革委联合印发的《长江保护修复攻坚战行动计划》从生态系统整体性和长江流域系统性出发，开展长江生态环境大普查，摸清资源环境本底情况，系统梳理和掌握各类生态环境风险隐患。生态环境部会同中华人民共和国自然资源部（以下简称自然资源部）、水利部、国家林业和草原局（以下简称林草局）等部门负责开展退耕还林还草还湿、天然林资源保护、河湖与湿地保护恢复、矿山生态修复、水土流失和石漠化综合治理、森林质量精准提升、长江防护林体系建设、野生动植物保护及自然保护区建设、生物多样性保护等生态保护修复工程。因地制宜实施排污口下游、主要入河（湖）口等区域人工湿地水质净化工程。强化以中华鲟、长江鲟、长江江豚为代表的珍稀濒危物种拯救工作，加大长江水生生物重要栖息地保护力度，实施水生生物产卵场、索饵场、越冬场和洄游通道等关键生境保护修复工程，开展长江干流、主要支流及重点湖库水生生物保护区监督检查。

2022 年 1 月印发的《"十四五"水安全保障规划》指出，"十四五"期间要抓好 8 个方面重点任务，其中之一就是加强水土保持和河湖整治，提高水生态环境保护治理能力。按照"严保护、重治理、提质量"的思路，发挥河湖长制作用，加强水源涵养区保护修复，加大重点河湖保护和综合治理力度，科学推进水土流失综合治理，继续推进地下水超采治理，恢复水清岸绿的水生态体系，扩大优质生态产品供给。①

2.2.2 政策实施中存在的问题

(1) 缓冲区入河排污口监管尚存在一定困难

依照《关于加强省界缓冲区水资源保护和管理工作的通知》，省界缓冲区内的入河排污口由流域管理机构负责审批。而 2017 年印发的《水功能区监督管理办法》规定，含省界水功能区的入河排污口由地方水行政主管部门审批，但要求流域管理机构出具意见，并负责监测和监管，这在缓冲区入河排污口的协调和监管上存在一定困难。

(2) 水功能区纳污能力和限制排污总量意见亟须进一步复核和调整

一是由于历史原因，水功能区内入河排污口情况不清，入河污染物总量不明，造成现有部分水功能区纳污能力成果失真，限制排污总量意见也难以分解到具体的排污口，严重影响了管理效能，这也是限制排污总量与污染物减排难

① https://www.360kuai.com/pc/9c71839ff50cc7e7e?cota=3&kuai_so=1&tj_url=so_vip&sign=360_57c3bbd1&refer_scene=so_1.

以衔接的重要原因。二是随着三峡等控制性工程的建成，长江中下游水文情势发生改变，现有水功能区纳污能力计算成果也需要按照新的水文条件做进一步的复核和调整。三是现有开发利用区的纳污能力成果从技术上考虑了上下游水功能区的水质目标衔接，每个二级水功能区分配了一定的纳污能力，但随着目前长江生活污水集中化、工业废水园区化，在实际管理工作中，往往出现排污集中在开发利用区内的某一个二级区，而其他二级区并无排污的情况，需要针对这种趋势研究开发利用区内纳污能力的内部调整问题。①

（3）长江经济带整体性协同修复力度不足

建立高效流畅的统筹协调机制是强化长江流域管理的重要保障。目前，长江流域部门间、区域间已经通过合作协议的形式进行探索实践，在流域水资源、水环境、水生态保护协作方面取得一定成效。但目前流域仍以部门管理为主，存在自然资源、水行政、生态环境等部门对同一事项的交叉管理问题，流域整体性保护力度不足，总体上合作机制较为松散，缺乏专业性和协调性，制约着长江协同管理的成效发挥。水生态保护处于多部门交叉地带，涉及的重点任务往往需要发展改革、水利、自然资源、生态环境等多个部门协作开展。未来水资源保护工作的开展、重大水资源保护和水生态修复工程的落地实施、流域信息共享机制的建立，更需要多部门协同参与。

（4）新时代长江流域水生态修复管理亟须强化

流域生态流量管理亟须加强。流域生态流量保障目标确定难度大，河湖生态流量管控指标全覆盖需加快推进。生态流量流域协同调度和泄放统筹存在困难，亟须建立基于生态流量保障的流域工程调度方案和完善水工程生态调度机制。部分生态流量泄放设施不满足断面生态流量保障目标要求，存在水工程未设置生态流量泄放设施或已有生态流量泄放设施未能严格按照标准泄放生态流量等问题。生态流量监测监控设施不完善，生态流量监测数据报送机制有待加强。流域生态流量法规体系建设、考核评估、监督检查等机制尚待建立和落实。

饮用水水源地保护亟须夯实。饮用水水源地名录亟须更新，2016 年，流域内被水利部列入《全国重要饮用水水源地名录》的重要水源地，较之前发生了较大变更和调整。流域内应急备用水源地建设相对滞后，部分备用水源地尚未建成，供水设施尚不完善。重要饮用水水源地安全保障达标建设评估指标

---

① 杨永德，傅慧源，吴添天．长江流域水功能区保护管理及实践［J］．长江技术经济，2018，2(4)：45-52.

亟待优化，达标评估约束力尚未发挥。部分饮用水水源地潜在水污染风险源多，突发水污染风险隐患大。

水生态保护与修复亟须推进。流域水生态保护与修复规划亟待推进，水生态保护与修复工作的开展缺乏顶层设计。流域开发对生态环境造成的不利影响逐步显现，江湖的天然连通性降低、生境条件改变对水生生物的多样性、完整性构成威胁，江湖关系变化对水生态环境造成的持续影响逐渐显露。水生态保护与修复工程项目往往涉及发展改革、自然资源、生态环境等多个部门，水利部门单独组织实施规划的难度大，统筹生态保护修复面临较大压力和阻力。①

地下水保护力度有待加大。长江流域地下水水质总体偏差，亟须加强地下水污染防治工作。地下水监测监控能力有待提升，水利部门地下水监测井在数量、布局方面还存在明显不足，重要地下水取水户取水的在线监控系统和地下水监测工程在线监测系统的运行维护需加强。地下水管控指标确定工作有待进一步推进，亟须加快建立流域取用水总量、水位等地下水管控指标体系。地下水监管能力不足，流域各级水行政主管部门地下水管理人员和信息化建设滞后。

2.3 长江经济带产业绿色发展政策实施现状

2.3.1 政策内容

(1) 加快产业结构转型升级

高质量发展，是经济发展从“有没有”转向“好不好”，加快新旧动能转换是推动经济发展高质量转向的基本要求。必须建立以创新驱动引领新旧动能转换的体制机制，消除制度层面的障碍，为新旧动能转换提供制度保障，从而最大限度地释放生产领域新旧动能转换的积极性。一手抓传统产业转型升级，一手抓战略性新兴产业发展壮大。做好产业发展的加减法，在“破”和“立”上同时发力，既做强做大优势产业、培育壮大新兴产业、加快改造传统产业、发展现代服务业，又主动淘汰落后产能，腾出更多资源用于发展新的产业。

---

① 刘扬扬，王孟，邓瑞，等.《长江保护法》施行后流域水资源保护的思考[J]. 人民长江，2021，52(10)：135-140.

增强长江经济带产业绿色发展新动能，加快推动绿色低碳发展。一是推动工业绿色发展：坚持产业导向、项目准入、节能减排的前置把关，强化企业责任，按照“谁污染、谁治理”的原则，把生态环境破坏的外部成本内部化，激励和倒逼企业自发推动转型升级，强化能耗、水耗、环保、安全和技术等标准约束。二是推动农业绿色发展：推广更加注重高效的绿色农业生产方式，建立农产品质量保障与溯源体系，探索物质再利用、减量化等生态循环农业模式，着力打造安全优质长江经济带农产品生产示范基地。三是大力发展现代服务业：积极发展绿色金融，鼓励金融机构创新绿色信贷、绿色债券以及绿色基金等产品；加快发展绿色生态旅游，推动绿色旅游产品体系建设，加强生态资源富集区基础设施建设，提升绿色生态旅游水平。①

(2) 推进绿色科学技术创新

绿色科技创新是绿色发展的要求，绿色科技创新是符合绿色发展需要的一种科技创新。习近平总书记指出，“以科技创新催生新发展动能”，绿色科技创新是推动长江经济带生态优先、绿色发展的重要动力，是产业创新与绿色产业发展的主引擎。长江经济带具备成为未来引领全国发展转型的绿色发展创新驱动带的潜力，在国内拥有人才、智力密集优势，着力实施创新驱动发展战略，把长江经济带得天独厚的科研优势、人才优势转化为发展优势。除此之外，长江经济带还具有较为突出的产业优势，长江经济带是我国重要的制造业基地之一，沿江省市分布着我国主要制造业生产园区和基地。要塑造长江经济带创新驱动发展新优势，必须构筑“以企业为主体、市场为导向、产学研相结合的技术创新体系”。政府需进一步关注创新生态，做好科技工作者的基础保障及服务工作，加大对科技力量的统筹力度，强化企业创新主体地位，促进各类创新要素向企业集聚，提升企业技术创新能力。提升原始创新能力和水平，突破关键环节、关键领域，掌握关键产品技术，建立促进产学研有效衔接、跨区域通力合作的体制机制。

长江经济带沿线省市地区要牢牢把握全球新一轮科技革命、产业变革和绿色增长机遇，大力实施创新驱动发展战略，在此基础上整合既有优势，强化基础创新能力，打造世界级制造业集群，是长江经济带产业创新发展的重要途径，是实现提质增效升级和绿色发展的重要路径。如重庆提出以大数据智能化引领产业转型升级，尤其致力于推动制造业加速向数字化、网络化、智能化发展；近年来，数字经济已成为推动贵州经济增长的重要引擎，数字经济增速连续 4 年居全

① 石秀秀. 习近平总书记关于长江经济带绿色发展重要论述研究[D]. 武汉：中国地质大学，2021.

国首位,腾讯、华为、百度、阿里巴巴、苹果等国内外知名企业纷纷落户贵州。①

(3) 提升绿色对外开放水平

长江经济带"要构筑高水平对外开放新高地","要统筹沿海沿江沿边和内陆开放,加快培育更多内陆开放高地,提升沿边开放水平,实现高质量引进来和高水平走出去"。坚持长江经济带绿色内需与绿色外需协调、绿色进口与绿色出口平衡、绿色引进来与绿色走出去并重、绿色引资和绿色引技、绿色引智并举。推动长江经济带出口贸易结构优化升级,培育以绿色技术、绿色标准、绿色品牌、绿色服务为核心的对外经济绿色优势,提高绿色产品在进出口产品中的比例。

此外,习近平总书记强调推动长江经济带发展与共建"一带一路"的融合,沿江各省市还需充分把握两大战略深度融合的机遇,以高水平开放提升长江经济带区域内的创新能力和竞争力。坚持互利共赢原则,推进长江经济带与"一带一路"共建国家在能源资源勘探开发、生产、运输、加工等全产业链方面的合作,与重点国家加强上下游领域合作,扩大就地加工规模,建设一批与资源优势相结合、绿色环保的油气化工、煤化工、钾肥等境外生产基地,提高就地加工转化率和资源国的深加工能力,合作开发水能、光伏、风能、生物质能等资源,打造清洁能源合作样板。重庆两江新区西连"渝新欧"国际铁路大通道,东接长江黄金水道,是"一带一路"和长江经济带的交汇点。近年来,依托保税港区、果园港区、空港等物流平台,两江新区着力发挥各类通关口岸的作用,构建起口岸、通道、产业、市场主体协调发展的开放新格局。与此同时,上海、浙江、湖北、重庆、四川的自贸试验区改革试点持续推进,为高质量发展不断加码。②

2.3.2 政策实施中存在的问题

(1) 区域利益和整体利益的分化

环境资源的稀缺性决定了各地区在环境资源的分配上存在利益之争,导致区域利益与整体利益的分化,表现为区域市场分割和地方保护主义。虽然狭义的自然可持续性意味着对各代人之间社会公正的关注,但必须合理地将其延伸到对每一代人的内部公正的关注。转型时期的我国经济区域发展不平衡,一些区域在改革进程中形成了由地方政府主导,政府、企业和公众为一体

---

① 石秀秀. 习近平总书记关于长江经济带绿色发展重要论述研究[D]. 武汉:中国地质大学,2021.

② 石秀秀. 习近平总书记关于长江经济带绿色发展重要论述研究[D]. 武汉:中国地质大学,2021.

的地方利益集团，各利益集团之间在自然资源、绿色产业和产品市场之间展开竞争。自然和经济资源的稀缺与非均衡分布是地方利益分化的主要原因，资源禀赋优势是实现利益最大化的天然助力，马克思指出，“如果一个国家从自然界中占有肥沃的土地、丰富的鱼类资源、富饶的煤矿（一切燃料）、金属矿山等，那么与和这个国家同劳动生产率的这些自然条件较少的其他国家相比，只要用较少的时间来生产必要的生活资料”。一些地方政府为实现区域利益盲目引进优势产业，以致各地产业结构趋同、产能严重过剩，浪费了经济社会和生态环境资源，损害了全社会的整体利益。市场规模决定经济利益规模，如果一个区域利益集团都有保护本地市场免受侵入并进入其他地区市场的激励，那么这种区域利益最大化的行为就会造成市场分割，进而阻碍全国统一大市场的形成，不利于发挥市场竞争优势和规模效应。这样，区域利益和整体利益之间的分化致使地方保护主义盛行、市场分割严重，地方优势得不到有效发挥，不利于经济社会的长期发展。①

（2）地方政府行为选择导致发展异化

地方政府是地方经济发展的主导力量，是市场经济的调控者和参与者，政府的行为选择直接决定了产业绿色发展的水平。作为地方公共事务和地方投资的主要承担者，地方政府的行为选择对经济增长速度和经济增长质量有着重要影响。一些地方官员为了本地区利益甚至为了个人政绩，通过各种手段实现本地经济的领先发展，这种政治竞赛在扩大当地社会福利的同时也削弱了区域合作的积极性，造成了严重的市场分割和地方保护主义，各地均形成了小而全的经济发展模式，造成经济资源和环境资源的双重浪费。马克思指出，“不是土壤的肥力，而是它的差异性和它的自然产品的多样性，形成了社会分工的自然基础……环境的变化促使他们自己的需要、能力、劳动资料和劳动方式趋于多样化”，经济社会的长期可持续发展需要各地发挥资源禀赋优势，减少资源浪费，促进经济节约。另外，作为经济活动的参与者，地方政府的采购和投资行为也是产业绿色发展不可或缺的动力，一方面作为市场需求的重要组成部分直接影响需求结构，另一方面也会对微观经济主体的消费行为和投资行为起导向性作用，从而间接地改变市场需求结构。产业绿色发展中的地方政府要配合中央政府主动消除市场壁垒，促进劳动力、资本和自然资源的流动，加强地方之间的纵向联合与横向联合，积极参与全国统一市场的构建，并发挥自身优势增强市场竞争力。

---

① 李雪娇，何爱平. 绿色发展的制约因素及其路径拿捏[J]. 改革，2016(6)：90-99.

(3) 公众参与激励不足掣肘绿色发展

微观经济主体参与绿色建设的积极性是决定绿色转型进度的关键，一方面，由于生态修复和环境保护与自然力密切相关，绿色投资的收益周期一般较长，生态服务和绿色产品的信用体系和支付手段不完善导致绿色投资的经济收益不能迅速有效回流，降低了资金的流通速度，不利于资本增值。绿色投资的物质收益过低和收益太慢，公众缺少参与热情。另一方面，精神激励不足也是公众不愿参与绿色实践的重要原因。长期生态教育的缺失使人们对环境污染和生态破坏的认知度不够，公众不能准确认识到生态建设和绿色投资的长期效用，缺乏主动参与绿色建设的原始驱动力。而且生态修复行为需要长期坚持才能看到成效，短期付出成果不易被识别，人们在其中的心理满足感不足。同时环境治理的成效基于群体的共同努力，绿色发展中的个体行为成效微乎其微，目标成效的激励缺位使得人们缺少参与绿色实践的动力，不能充分发挥人们在绿色发展中的主观能动性。①

① 李雪娇，何爱平. 绿色发展的制约因素及其路径拿捏[J]. 改革，2016(6)：90-99.

03

第三章

长江保护政策实施的地方探索

3.1 水资源开发利用的武汉探索

湖北是生态大省，是长江流域重要的水源涵养地和国家重要生态屏障，是南水北调中线工程核心水源区、三峡库坝区所在地，既肩负着确保"一江清水东流、一库净水北送"的重要使命，又承担着长江经济带高质量发展的光荣责任。2017 年，湖北率先出台《湖北长江经济带生态保护和绿色发展总体规划》，构建起"共抓大保护"的规划体系。2018 年，打响长江大保护十大标志性战役，开启沿江化工企业"关改搬转"，实施长江经济带绿色发展十大战略性举措，加快绿色发展步伐。2019 年，制定长江保护修复攻坚战工作方案。湖北省生态环境厅相关负责人介绍，全省长江干线取缔非法码头 1 211 个，腾退岸线 149.8 公里，生态复绿 856 万平方米；积极落实长江"十年禁渔"，推进"湖北长江三峡地区山水林田湖草生态保护修复工程"，长江干流湖北段水质全线提升至Ⅱ类。近年来，湖北坚定不移推动长江经济带高质量发展，交出了一份可圈可点的"绿色答卷"。①

作为湖北省省会的武汉，以 145 公里的长江岸线为主战场，立足"大江大湖"特色，扎实做好生态修复、环境保护和绿色发展"三篇文章"，认真打好长江大保护十大标志性战役，践行了绿色发展理念。② 2021 年 5 月，武汉城市圈同城化发展联席会召开。同年 6 月 11 日，武汉市水务局牵头组织召开城市圈同城化水务发展第一次联席会。会上，九城共同制定《武汉城市圈同城化水务工作协同合作备忘录》，统筹推进上下游、左右岸、干支流协同治理，共建幸福河湖。九城还共同推出武汉城市圈同城化水务工作三年行动方案和 2021 年工作要点，形成"推进落实'五同五共'，构建'四网一平台'"的基本工作思路。同年 9 月 23 日，武汉城市圈同城化水务发展第二次联席会议在武汉召开，讨论通过《武汉城市圈同城化发展水务工作协调机制》。武汉市水务局为此搭建城市圈水务系统学习交流平台，九城水务工作者远程网络实时共享"水务大讲堂"等活动，并邀请城市圈各市代表到武汉参加长江（武汉）水务科技博览会及主论坛，共同展现九城水特色，分享院士专家最新成果、前沿技术和先进理念，共同学习探讨新时期治水思路、水生态修复、湖泊治理、城镇内涝防治及极端暴雨

---

① http://cjjjd.ndrc.gov.cn/gongzuodongtai/yanjiangyaowen/hubei/202201/t20220106_1311670.htm.

② http://www.wuhan.gov.cn/sy/whyw/202103/t20210301_1640448.shtml.

洪水分析等理论和实践。一系列“纲领性”文件的建立和出台，理顺了相关机制，推动九城水务联动逐步走向长效化、日常化，整体施策、统一保护的观念在城市圈深入人心。

3.1.1 体系：多元主体协同模式

在武汉，行业主管部门形成合力，协作推进节水工作，水务、教育、经信、卫生、旅游、园林、行管、文明办、妇联等部门密切合作，组织实施节水型企业、节水型单位、节水型小区、节水示范家庭创建工作，形成了良好的部门协作工作机制。同时，建立节水激励机制，建立财政投入奖励制度，对用水单位开展节水载体建设、水平衡测试、非常规水利用、合同节水管理等项目给予支持。

(1) 高校节水：开启“合同节水管理”新模式

合同节水管理作为一个新的用水管理模式，凭借显著的综合效益，形成多方共赢的优势，被武汉高校认可和采用。武汉工程大学的用水量曾经居高不下，2018 年，学校在节水管理方面施行重大举措，正式启动了合同节水管理，仅一年时间，学校年用水量就从 277 万立方米降到 150 万立方米，降低了 46%。武汉交通职业学院实施合同节水管理后，开学后 3 个月用水量同比降低了 50%。高校为合同节水管理模式的推广创造了鲜活的实践经验。自 2018 年以来，湖北省共有 12 所高校实施了效益分享型和效果保证型合同节水管理项目，实施后总节水量近 1 000 万立方米。湖北工业大学、中国地质大学(武汉)、武汉工商学院等高校的合同节水管理项目也取得亮眼的成果。合同节水管理的推进，将高校节水工作提升到了新高度。2019 年，武汉市出台《武汉市高校节水减排三年行动计划》，提出 2021 年全市高校用水量比三年前整体下降 1 800 万立方米的目标。据统计，截至 2021 年底，全市高校节水总量超过 2 000 万立方米。

(2) 工业节水：让每一滴水都发挥效益

武汉市使用公共供水工业企业第一大户——武汉京东方光电科技有限公司(以下简称京东方公司)，在工厂建厂的设计阶段把节水充分考虑进去，水的循环高效利用达到国内先进水平，用起水来“精打细算”。京东方公司是薄膜晶体管液晶显示器件制造企业。2018 年开工建设，2019 年投产。该公司通过工艺设备清洗水回用、反渗透浓水回用、冷凝水回用、雨水利用等一系列水重复利用项目，使企业用水单耗仅为定额标准的 30%，企业实现对污水的深度处理，替代新水回用于生产工艺辅助用水。京东方公司只是武汉工业节水的缩影。经过多年实践，武汉市越来越多的企业投身到节水行列，不少企业意识到既要算经济账，也要算环境账，节水减排逐渐成为一种自觉行为。武汉市工业节水水平持续提升，工业用水重复利用率提高到 91.2%，节水型企业覆盖率达到 37.8%。

(3) 机关节水：树立标杆，学有榜样

2021 年 8 月，武汉市政协办公厅获评全国公共机构水效领跑者单位，成为武汉市首个获此殊荣的公共机构。该奖项由国家机关事务管理局、国家发展改革委、水利部联合发布。作为机关节水的先锋，武汉市政协办公厅早在 2016 年就开展公共机构节水型单位创建，一手抓节水制度建立，一手开展节水技术改造，更换所有用水点的用水器具 132 套，对用水区域进行全面计量，还通过信息系统实现远程抄表，统计分析；对洗车用水进行了改造，对废水进行全面收集，处理后再次用于清洗车辆，节水率高达 80%。武汉市政协办公厅做到"节水制度齐全、节水管理严格、节水指标先进"，体现了公共机构节水工作的先进水平。武汉市通过节水标杆的典型示范，推动形成全社会节水自觉行动，真正做到在观念、意识、制度和举措上把节水放在治水的优先位置。截至 2021 年底，武汉市共有 367 家机关被评为公共机构节水型单位，市直单位基本实现全覆盖，市属事业单位达到 50%以上。[①]

3.1.2 措施

(1) 水资源同调共济

一是注重水系连通，编织生态水网。2021 年 12 月，起于东湖吹笛景区、止于严西湖、全长 2.16 公里的九峰渠工程完工。大东湖生态水网实现东沙水系、北湖水系两大水系连通。两大水系通过九峰渠连通灵活调配，增强排涝调蓄功能，大东湖水网水资源将得到更有效的保护与利用。大东湖生态水网构建工程以东湖为中心，通过"三大工程(污染控制、水网连通、生态修复)、一个平台(监测与评估研究平台)"建设，实现江湖相通，构建生态水网湿地群。二是注重湖泊管理顶层设计，出台"最严湖泊保护条例"，编制湖泊保护规划。武汉市对被列入湖北省湖泊保护名录的湖泊都已完成详细规划编制，其中包括梁子湖、斧头湖、豹澥湖等 7 个跨市湖泊。同时，武汉市对重点湖泊实施退垸(田、渔)还湖工作。2017 年起，推进梁子湖、斧头湖退垸还湖。2020 年底，全面完成省级下达的梁子湖、斧头湖等湖泊退垸还湖任务。三是推进城市圈跨市水资源优化配置。2021 年 12 月下旬以来，在湖北省水利厅的统筹下，天门、武汉、孝感、荆门碰头会商，共同研究推进"一江三河"水系综合治理工程。该项目是城市

---

① http://swj.wuhan.gov.cn/whjs/jsxc/jsdt/202201/t20220120_1910458.html.

圈区域水资源配置重点项目，位于国家战略中的长江经济带和汉江经济带交汇区，以汉江为骨干水源，以三河（汉北河、天门河、府澴河）为纽带，以沿线湖泊为节点，构建“五线连通，七片循环”水系连通格局，实现水网互通、水量互济，缓解缺水矛盾，改善水环境，汉北平原水网地区将呈现“河畅岸绿、鱼翔浅底，轻风拂柳、荷香十里，小桥流水、舟楫如梭”的美丽风光。

（2）河湖长制同治共管

2021年，武汉市创新构建流域河湖长制责任体系。在武汉市委书记任第一总河湖长、武汉市市长任总河湖长的基础上，创设市、区级流域河湖长，明确各级各类河湖长履职重点和要求。全市流域河湖长体系下的“市、区、街（乡镇）、村（社区）”四级河湖长组织架构已搭建完成。以府澴河（武汉段）为例，该流域设有四级河长共577名。从官方河长到民间河长，互相配合，辅以智慧河长，“三长联动”共同夯牢看护府澴河之责。2021年1—11月，府澴河区、街道、社区（村）三级河长共巡查河湖985人次，发现并解决问题252个。除了强化自上而下的流域保护，2021年武汉市还首创在非临水的街道和社区增设河湖长，虽无河湖，但也要成为河湖管护的践行者，节约用水、水环境保护的宣传员。全市共有市、区、街、村（社区）四级河湖长4 200多名。同时，市、区共选聘“民间河湖长”679名，河湖保护志愿者队伍突破5 000人。大家踊跃担当，更多河湖“保护神”得以涌现。此外，创新运用“数据河湖长”。2021年实现涉河湖无人机飞检及河湖长制公示牌在线核查。在自身做好表率的同时，武汉市与城市圈其他城市联动推行河湖长制。2021年11月12日，武汉市水务局前往孝感市，就统筹跨市府澴河等河湖共建共享，推进河湖长制同治共管调研、交流，建立长效联系工作机制。以府澴河为样本，九城正推动建立城市圈流域河湖长制。九城共建共享，“幸福河湖”由向往的美景正在一步步成为生活的图景。

（3）水环境水生态同修共护

建设百里廊道，打造世界级滨水空间典范，“连通区域河塘，形成生态缓冲带，同时构建厚植被群落，一年四季可观赏不同种类花卉”。堤防总长12.26公里、总用地面积约7.8平方公里的青山湿地生态综合整治工程一期已于2023年完工。这是武汉百里长江生态廊道重点示范项目之一。武汉百里长江生态廊道建设于2020年12月启动，以打造长江经济带生态保护的示范、长江大保护的样本、世界级滨水空间的典范为目标。按照规划，武汉市正全力推进示范项目建设，贯通“安全廊、生态廊、交通廊、文化廊、发展廊”，实现还江于民、还岸于民、还景于民，让全民共享绿色福利。先行实施的14个重点示范项目中，汉江汉阳江滩三期等5个已完工。截至2021年底，已完成闸口改造40多处，新增江滩长度 6.66 公里、面积 61.74 公顷，新增滨江碧道 12.19 公里。根据规划，到 2025 年，百里江滩岸线实现贯通，“一芯两轴显山水，一廊十片融古今”的美丽画卷正在武汉两江四岸徐徐展开。

3.1.3 经验借鉴

水资源开发利用是一个集取、用、耗、排于一体的循环过程，涉及取水、净化、输送、利用、污水收集与处理、排水和回用等环节。为了保证各环节的顺利运行，可从以下三方面借鉴水资源开发利用和保护的相关经验。

一是突出规划先行和制度建设，实施用水总量控制。可借鉴福建省厦门等地实行最严格水资源管理制度的经验，通过全面落实包括水资源开发利用控制、用水效率控制、水功能区限制纳污在内的水资源管理“三条红线”，强化水资源监督管理和发挥水资源最大刚性约束作用，着力改变当前水资源过度开发、用水浪费、水污染严重等突出问题。二是摸清水资源底数，实现水资源精细化管理。借鉴重庆市水资源综合管理平台系统的打造，以区域取水工程或设施核查登记的详细信息为基础，打造取水工程按流域和行政区域分布、流域区域水资源量、用水总量控制、水资源承载能力、取水许可量、实际用水量以及雨量流量监测、预警等区域水资源管理“一张图”，为实现“全过程、精细化，大数据、智能化”的水资源精细化管理目标打下坚实基础。三是实施区域综合水价改革，不断丰富水资源管理手段。借鉴山东省建立区域多水源供水管理平台的经验，以实时在线监控、调度和管理的区域供水工程体系和用水计量体系为抓手，制定出台区域综合水价政策，适时核定调整工业供水价格和区域综合水价，完善区域综合水价体系，促进水资源优化配置和用水价格的公平合理。

3.2 水生态修复的马鞍山探索

3.2.1 体系:“三大一强”修复体系

2020 年 8 月 19 日，习近平总书记亲临马鞍山考察，提出要增强爱护长江、保护长江的意识，实现“人民保护长江、长江造福人民”的良性循环，早日重现“一江碧水向东流”的胜景。从“十里钢城”到“生态福地”，马鞍山牢记习近平总书记嘱托，围绕“生态优先”“绿色发展”两个关键词，以铁的意志、铁的手腕、铁的作风，全力推进生态环境综合整治，用实际行动回应期盼。

然而在这之前，153 家非法码头散落长江干支流，704 家“散乱污”企业遍布长江岸线，4 295 个入江排口溯源不清，35 条黑臭水体交错市域范围……过去，“先有矿后有市、先生产后生活”的发展模式，导致马鞍山经济结构偏重，长江生态频亮红灯。曾经的长江东岸一度成为非法码头林立、砂场违建盘踞的脏乱之地。面对严峻形势，马鞍山市委、市政府痛定思痛，坚持问题导向，集中开展“三大一强”专项攻坚行动，举全市之力，倾全市之智，按照“系统治理、源头治理、流域治理、精准治理”的标准，刀刃向内，动真碰硬，全力做好突出水生态修复问题整改，守护一江碧水向东流。①

为巩固长江沿线环境整治成果，保证长江东岸整治的整体性、关联性和系统性，马鞍山市出台《马鞍山长江生态保护与绿色发展——东岸综合整治规划方案》（以下简称《方案》），各项整治工作正全面推进，一幅整体协调、生态优美的滨江美好蓝图徐徐铺展。坐拥“一江两岸”的马鞍山，在市区东岸拥有长达 23 公里的长江岸线资源，北起省界、南至陈家圩南端，沿江纵深 1～2 公里，总面积约 30 平方公里，范围内的绿地面积约 1 000 公顷。但受产业结构的限制和历史因素的影响，“散乱污”现象长期存在于长江东岸沿线。按照《方案》，马鞍山长江东岸将形成“一轴、五区”的空间结构，“一轴”，即起于太子大道、终于釜山西路，贯穿长江东岸沿江一公里范围的沿江绿道；“五区”，即生态修复区、湿地风情区、文创旅游区、采石风景区、田园风光区。围绕“沿江风光展示区、湿地生态涵养区、城市生活融入区”的规划定位，以塑造良好的沿江生态景观为核心，并针对各区特征，制定相应实施策略，体现本土特色。立足马鞍山市长江岸线的基本情况、生态本底及沿岸现状建设情况，通过源头控制、过程管控、终端修复来统筹指导长江东岸综合整治，打造良好的滨江景观。

统筹指导长江东岸生态环境保护和修复工作，进一步提升沿江生态、观光、游览功能，全面打造生态自然、开合有度、文韵深厚的滨江绿色风景线，促进马鞍山市长江经济带生态保护和绿色发展。绿色廊道建设是长江东岸整治的重中之重，按照《方案》，马鞍山市结合实际，将建设景观型绿色廊道、人文型绿色廊道、防护型绿道、二级绿道等四类绿色廊道，将其定位于长江东岸范围内自然生态修复、城市可持续发展、生态观光游览的重要线性空间。②

① http://zrzyhgh.mas.gov.cn/xwzx/mtjj/2000952951.html.

② https://www.mas.gov.cn/zxzx/mtjj/9844387.html.

3.2.2 措施

(1)“止痛”:码头堆场“做减法”

为彻底治理城区黑臭水体,部署实施“三大一强”专项攻坚行动,以破解长江生态环境顽疾为突破口,秉承“标本兼治”原则,马鞍山市一体推进雨污分流、截污纳管和污水处理厂提标扩能等工程,完成城区雨污分流改造,城区35条黑臭水体全面“洗白”,让“源头活水”常流常清。拆除非法建筑并复绿、生态湿地修复、防护林带建设、老工业区复绿改造……在综合整治下,跨越花山区、雨山区,占地面积986亩的薛家洼变成了一个集观江、生态、研学、文化于一体的生态游园,成为马鞍山沿江湿地的重要组成部分。以薛家洼为枢纽,向北,花山区对六汾河口至皖能发电厂4.2公里长江岸线进行水土涵养、修复生态、打造景观;向南,雨山区重点打造滨江生态湿地项目,两条长江东岸的绿色廊道延伸,宛如一条碧玉项链。

(2)“通络”:环保管家“做乘法”

坚持生态立市,聚焦生态环保高水准,走生态优先、绿色发展之路。“环保管家”正是马鞍山市护航绿色发展的创新举措。通过政府“买服务”,聘请专家团队构建起新型现代治理体系。2019年8月,马鞍山在全省率先以市政府层面专项推动“环保管家”模式,通过政府购买服务的方式,聘请专家团队进驻马鞍山经济技术开发区、慈湖高新区开展“环保管家”试点工作,为工业园区和企业“把脉问诊”,精准科学治污,按照环保治理规律推进整治,做到源头治理、流域治理、综合治理、精准治理,为高质量发展保驾护航。“环保管家”通过专业环保机构为政府、园区、企业提供环境监测监理、环保设施建设运营、污染治理等一体化环保服务和解决方案,为园区和企业提供精准服务。“环保管家”实现了“管家+专家”的一站式服务,提升“环保管家”服务含金量。通过无人机航拍,实现项目清晰辨别,为企业提供精准服务;通过环境信息管理平台,实现数字化管理,为园区提供智能管控;通过开发“环境物联网”办事云平台,为园区企业建立专门的环保信息档案……驻点以来,信息化管理成为“环保管家”高起点、高规格的践行。[①]

(3)“化瘀”:复绿增绿“做加法”

为了以高水准生态环保推进高质量发展,2021年3月,马鞍山市在全域范围内开展生态环境突出问题排查整治专项行动,全面排查整治各类生态环境

---

① http://zrzyhgh.mas.gov.cn/xwzx/mtjj/2001008971.html.

突出问题，严厉打击环境违法行为，对新发现的问题立行立改，尽快消除环境隐患；同时，对已完成整治的问题开展“回头看”，全面巩固整治成果。与此同时，马鞍山市还及时出台绿色产业发展奖补政策，建立起长江岸线横向生态补偿机制，不断巩固长江“建新绿”成果。“护绿”加强林业生态保护修复，“增绿”推进城乡造林绿化，“管绿”预防治理森林灾害，“用绿”强化资源多效利用，“活绿”激发林业发展动力。

3.2.3 经验借鉴

水生态修复作为一个复杂的系统工程，需要综合采取各种工程、生物和生态措施，使遭受破坏的水生态系统结构、功能与景观恢复到人们所期望的人水和谐的状态。为了重建水生态系统平衡，可从以下三方面借鉴相关经验对水生态进行全面系统修复。

一是以河湖长制为抓手，创建水生态修复工作的良性运行机制。借鉴宁夏等地建立河湖长制的经验，依据各区域河湖特征，全力推动河湖长制任务落实，架构横向到边、纵向到底的人员管理体系、责任体系以及制度体系。河湖长依据信息化平台，严格落实水生态修复治理责任，积极开展督导检查、巡河以及考核等工作，通过持续创新河湖修复机制，达成全面实施清河专项任务、破解河湖顽疾等任务目标，有效改善河湖水环境面貌。二是综合运用多种修复技术，创新水生态修复手段。充分借鉴吸收发达地区水质净化、生物处理与修复、修复生态岸坡等先进技术，加大资金投入和技术创新，不断扩大水生态修复的尺度，实现从现阶段单纯的河段结构性修复向河流甚至流域整体结构系统、生态过程及功能综合修复的方向发展。三是坚持流域综合整治，实现水环境系统修复。水生态修复工程需要统筹考虑城市污染源控制、底泥疏浚清淤、引水活化、水系连通、河湖生态修复和人文河流治理等多种措施，以此实现水生态修复的可持续发展。借鉴东南沿海地区流域综合整治经验，按照“山水林田湖草生命共同体”的理念，从流域生态安全格局的高度出发，完善流域水利基础设施网络以保障生态系统安全，构建生态廊道以恢复生物纵向连通性，营建生态综合体以恢复河湖生态系统健康和生物多样性，最终实现水生态长期良性循环。

3.3 产业绿色转型的芜湖探索

3.3.1 体系:推进资源全面节约和循环利用

构建以能源生产和消费革命为核心,加大关键技术攻关,推进资源全面节约和循环利用的产业绿色转型工作体系。

首先,编制“十四五”能源发展规划,推动可再生能源利用。推进西形冲抽水蓄能电站前期工作,支持光伏和风电规模化发展,推进生物质能多元化利用。持续加大煤炭消费减量控制。严控化石能源消费总量,新、改、扩建项目严格实施煤炭减量替代,禁止新建企业自备燃煤设施。加快推进30万千瓦及以上热电联产机组供热半径30公里范围内燃煤锅炉和低效燃煤小热电关停整合。其次,梳理一批关键核心技术难题,部署一批科技计划项目,引导加大绿色发展领域研发投入,集聚资源开展关键技术研发。推动实现科技成果有效转化。激发企业积极性。为科技成果供给与需求对接搭建平台,推动绿色发展领域科技成果信息共享与发布。最后,推进资源全面节约和循环利用。完善能源消费总量和强度双控制度,开展节能宣传周主题宣传活动和业务培训。畜禽粪污综合利用率超过81%,新建规模化养殖场同步配套建设粪污处理设施。科学布局畜禽养殖,促进养殖规模与资源环境相匹配。鼓励支持农牧循环型畜禽养殖场(户),推广绿色发展配套技术,促进粪肥还田,提升绿色养殖水平。

3.3.2 措施

(1) 建立健全绿色产业体系

2021年,芜湖市颁布并积极实施《芜湖市实施绿色发展行动2021年工作要点》,在2020年的基础上继续实施能源消耗总量和强度“双控”行动。确保重点用能行业、设备节能标准全覆盖,大力开发、推广节能高效的技术和产品,实现新建高耗能项目单位产品(产值)能耗达到国际先进水平。加大绿色建筑推广力度,推进既有居住建筑节能改造。海螺型材超薄共挤合金材料、芜湖创科新科技ASA彩色改性料、芜湖启迪碳化硅JBS二极管等新材料军团,在2021年于蚌埠举办的首届国际新材料产业大会上惊艳亮相。作为战略性新兴产业的重要组成,新材料产业一直被作为芜湖经济增长的新引擎进行精心培育,不断优化环境为企业发展“松绑”。新材料产业的蓬勃发展,为市场带来无限可能，创“新”产品助推绿色转型加速。[①]

（2）推动绿色产业规模化发展

2021年3月，安徽省发展改革委公示了2021年省级绿色发展试点示范名单，其中芜湖高新区入选省级绿色产业示范基地名单。高新区产业坚持走科技创新的发展道路，采用新工艺、新技术，控制排放，达到节能降耗、提质增效的效果。新芜经济开发区生态环境建设的不断加强，传统产业的提档升级，令湾沚区实现了生态和经济效益的双赢。“绿色发展”是推动园区传统产业升级，进一步提升园区竞争力的必由之路。针对区内的汽车零部件、电子电器等传统制造企业，湾沚区大力推动制造业向智能、绿色、融合转型，打造德力西产业园、飞科电器产业园、健康生活电器产业园等一系列新型产业园区，让产业的升级发展有抓手。目前，园区做精做特“一轻一重”产业，做大做强航空临空产业。同时，湾沚区将生态发展理念融入园区建设，通过政策引领，助推园区企业创建绿色工厂，构建绿色供应链，开展循环化改造等。目前，新芜经济开发区成功入选国家级绿色园区。同时，园区鼓励支持企业不断加大技改资金投入力度，大力实施一批节能降耗的关键技术、重大装备和工艺流程；进一步推动新能源技术的开发和应用，突出抓好重点企业的节能技改项目，促进节能技术推广。[②]

（3）完善绿色金融体系

协同人民银行芜湖支行等部门，共同完善绿色金融体系，推动金融机构深化绿色金融产品和服务创新，搭建交流合作平台，引导金融资源向绿色发展领域倾斜。芜湖市无为徽银村镇银行紧紧围绕市委、市政府的总体部署，充分发挥法人机构高效、灵活优势，不断优化机制、强化创新，推出了特色种植养殖贷、蓝莓贷、徽抵贷、融信通、医护贷、园丁贷、徽易贷等一系列信贷产品，全力加强对市域“三农”、小微企业的资金支持力度，存贷款规模已分别超过25亿元、20亿元，持续位居全省村镇银行系统前列，在有效提升市域金融服务水平、切实践行“支农支小”市场定位的同时，自身也取得了长足发展。作为绿色金融的倡导者与先行者，兴业银行始终致力于绿色金融业务的创新和发展。2021年以来，兴业银行芜湖分行根据“30·60”碳达峰碳中和国家战略方针，按照总分行全年绿色金融工作的总体要求，切实加大辖内绿色金融业务的挖掘和推动力度。2021年8月中旬，兴业银行芜湖分行的安徽省首单“绿创组合贷款”业务顺利落地，项目投放总金额4 969万元（其中兴业银行项目贷款2 700万

---

① https://www.wuhu.gov.cn/xwzx/zwyw/31786481.html.

② https://www.wanzhi.gov.cn/xwzx/xwdt/12037386.html.

元，中国清洁发展机制基金管理中心委托贷款 2 269 万元），实现了芜湖市乃至安徽省金融支持绿色创新领域的重大突破，也是兴业银行芜湖分行围绕“双碳”战略在绿色金融方面的一次积极探索。[①]

(4) 助力农业绿色发展

芜湖市繁昌区为实现“藏粮于地”提高耕地质量，助力粮食绿色生产，竭力恢复发展绿肥生产，拟通过紫云英-水稻秸秆协同还田，以及紫云英-再生稻、紫云英-单季稻等多种技术模式，倾心助力区域水稻绿色生产，促进减肥增效、农民增收。[②]《安徽省农业农村厅　安徽省财政厅　安徽省商务厅关于印发〈安徽省农业机械报废更新补贴实施方案〉的通知》于 2020 年印发后，南陵县农业装备服务中心坚持参照“农民自愿、政策支持、方便高效、安全环保”的原则主动作为，把实施好农业机械报废更新作为做好农机节能减排工作的重要举措，通过农机报废更新促进农业绿色发展。[③] 湾沚区农业农村局积极推进水稻施肥新方式——水稻侧深施肥技术，实现绿色栽培减肥又增效。[④]

3.3.3 经验借鉴

产业绿色转型作为一个综合产业系统，需要以经济结构转型为主题、以企业为主体、以生态环境为依托、以社会体制为保障、以技术和工艺绿色化为支撑，全面促进资源循环高效利用与产业节能减排。为了实现产业体系的绿色变革，可从以下三方面借鉴各地产业绿色转型与发展的相关经验。

一是以“双碳”目标为首要引领，构建现代化低碳产业体系。借鉴河北省保定市等地产业结构优化升级的经验，依托区域资源禀赋、产业发展基础与生态环境要素，把大力发展绿色低碳清洁产业、构建绿色制造体系、守住绿色发展底线作为产业发展方向，因地制宜发展低能耗建筑、都市农业、数据服务、生命健康、文化旅游等现代产业体系，有效贯彻落实“双碳”目标要求。二是以科技创新为第一动力，赋能产业绿色转型升级。一方面在传统产业领域，借鉴山西省等地通过技术融合与创新实现产业绿色转型的经验，采用高新技术改造提升传统产业领域中劳动者素质、物质技术基础和劳动对象范围，以提高产业的技术水平；另一方面借鉴重庆市“产业生态化”发展经验，引入绿色产业领域龙头企业，在提高生产流程数字化、关键技术自主化、产品结构高端化方面进

---

① https://jrj.wuhu.gov.cn/xwzx/jrkb/8293651.html.

② https://www.wuhu.gov.cn/openness/public/6604761/30230481.html.

③ https://nync.wuhu.gov.cn/nyzx/bmyw/8333558.html.

④ https://www.wanzhi.gov.cn/xwzx/gzdt/12023083.html.

行重点突破和布局。三是以绿色新政为基础保障，强化产业绿色发展制度约束与创新。制度创新是区域产业转型发展的重要驱动力，对产业绿色转型具有引领作用。可借鉴发达地区的绿色制度创新经验，综合运用法律、财税和行政约束等多种政策工具，通过完善生态环境保护立法、建立纳入经济绿色发展指标的政绩评价体系、严格落实主体功能区制度等，形成符合区域产业绿色转型的制度体系。

04

第四章

长江水资源开发利用政策实施效果评价

4.1 评价指标体系构建

水资源开发利用政策的实施根本上是为了实现以水资源为主要控制因素的资源-社会-经济-环境这一复合系统的可持续发展，采用单个指标进行效果评价是远远不够的，必须建立水资源开发利用政策实施效果的综合评价指标体系和相应的衡量标准与方法。指标的选取科学与否直接决定着长江经济带水资源开发利用政策实施效果能否得以被真实、准确地评估。

水资源开发利用是集取、用、耗、排于一体的过程，即从自然水循环中获取部分水资源，使用后又重新排放到自然界水体中的过程，涉及取水、净化、输送、利用、污水收集与处理、排水和回用等环节，是各种供排水设施与过程的汇总①。《长江经济带生态环境保护规划》中强调，大力推进农业、工业、城镇节水，加大非常规水源利用，加强污水深度处理，加大再生水开发利用力度，建设节水型社会，足以表明水资源利用效率、管控力度被放在重要位置，基于此，在综合考虑政策对经济社会、环境等诸多方面影响的前提下，本节将从利用效率、管控力度两个维度出发构建评价指标体系，力图全面真实地反映政策实施效果。其中，利用效率维度包括单位GDP用水总量、生活用水量/供水量、生产用水量/供水量、生态用水率等四个指标，管控力度包括用水总量、工业用水量、农业用水量、生活用水量、用水超载率等五个指标，如表4-1所示（本章表格数据来源于国家统计局官网）。

表4-1 长江水资源开发利用政策实施效果评价指标体系构建

一级指标	二级指标	三级指标
长江水资源开发利用政策实施效果	利用效率	单位GDP用水总量(－)
		生活用水量/供水量(－)
		生产用水量/供水量(－)
		生态用水率(＋)
	管控力度	用水总量(－)
		工业用水量(－)
		农业用水量(－)

① 王建华，王浩，等. 社会水循环原理与调控[M]. 北京：科学出版社，2014.

续表

一级指标	二级指标	三级指标
长江水资源开发利用政策实施效果	管控力度	生活用水量(一)
		用水超载率(一)

4.2 评价结果分析

通过熵值法测算长江经济带水资源开发利用政策实施效果评价指标水平，如表 4-2 所示。整体而言，2016—2019 年长江经济带水资源开发利用政策实施效果评价指标水平呈现逐年上升趋势，其均值从 2016 年的 0.581 上升至 2019 年的 0.611，增幅为 5.2%，表明长江经济带水资源开发利用政策的实施对长江经济带水资源开发利用呈利好趋势，且成效显著。分区域看，长江上游、中游、下游地区 2016 年的均值分别为 0.663、0.485、0.571，2019 年的均值分别为 0.706、0.504、0.597，增幅分别为 6.5%、3.9%、4.6%，三大区域中上游增幅最大，表明长江经济带水资源开发利用政策的实施取得了一定成效，但区域间存在一定差异。从省市层面看，浙江、重庆、云南、上海分别占据长江经济带九省两市的前四位，上海、浙江属于长江经济带下游地区，另外两省市均来自长江经济带上游地区，且长江经济带九省两市的水资源开发利用政策实施效果多数呈现上升趋势，表明水资源开发利用政策的实施对长江经济带各省市水资源开发利用起到了约束作用。综上可知，无论是从整体区域出发，还是从分区域、省市来看，长江经济带水资源开发利用政策实施效果评价指标水平不断上升，表明水资源开发利用政策的实施对水资源开发利用约束效果不断加强。

表 4-2 长江经济带各省市水资源开发利用政策实施效果评价指标水平

省市	2016 年	2017 年	2018 年	2019 年	均值
上海	0.660	0.639	0.650	0.674	0.656
江苏	0.316	0.300	0.303	0.281	0.300
浙江	0.757	0.762	0.776	0.795	0.772
安徽	0.551	0.572	0.595	0.638	0.589
长江下游均值	0.571	0.568	0.581	0.597	0.579
江西	0.508	0.518	0.521	0.529	0.519

续表

省市	2016 年	2017 年	2018 年	2019 年	均值
湖北	0.478	0.478	0.475	0.483	0.479
湖南	0.469	0.478	0.485	0.499	0.483
长江中游均值	0.485	0.491	0.494	0.504	0.493
重庆	0.750	0.755	0.768	0.783	0.764
四川	0.602	0.607	0.619	0.642	0.618
贵州	0.648	0.651	0.651	0.661	0.653
云南	0.653	0.661	0.700	0.736	0.687
长江上游均值	0.663	0.668	0.684	0.706	0.680
均值	0.581	0.584	0.595	0.611	0.593

注:因数据四舍五入,计算结果有偏差。

4.2.1 利用效率

(1) 长江经济带水资源开发利用效率整体提升

通过熵值法测算长江经济带水资源开发利用效率指标水平,如表 4-3 所示。整体而言,2016—2019 年长江经济带水资源开发利用效率呈现上升趋势,其均值从 2016 年的 0.485 上升至 2019 年的 0.552,增幅为 13.8%,表明长江经济带水资源开发利用政策的实施对长江经济带水资源开发利用效率提升呈利好趋势,且成效显著。分区域看,长江上游、中游、下游地区 2016 年的均值分别为 0.529、0.371、0.526,2019 年的均值分别为 0.609、0.418、0.595,增幅分别为 15.1%、12.7%、13.1%,三大区域中上游增幅高于中下游,三者增幅均为正,表明水资源开发利用政策的实施对长江经济带水资源开发利用起到促进作用,长江经济带水资源开发利用政策的实施推动长江经济带水资源的开发利用模式向节约高效型转变;与长江经济带下游地区不同的是,长江经济带上游地区资源禀赋优越,水资源开发利用保持适度,随着长江经济带水资源开发利用政策的实施,促进地区对水资源的用水把控,水资源开发利用效率得到进一步提升。与上下游地区不同的是,中游地区的水资源利用效率是三者中最低的,其原因可能是中游地区承接了下游地区的产业转移,在发展经济时不可避免地延续了传统产业的粗放生产模式,但在水资源开发利用政策实施之后,其用水效率稳中有升。

从省市层面看,浙江、重庆、四川、云南分别占据长江经济带九省两市的前四位,除浙江属于长江经济带下游地区外,其余三省市均来自长江经济带上游地区。同时，长江经济带九省两市的水资源开发利用效率多数呈现加大趋势，表明水资源开发利用政策的实施对长江经济带水资源开发利用效率起到了推动作用。综上可知，无论是从整体经济带出发，还是从分区域、省市来看，长江经济带水资源开发利用的效率不断上升，表明水资源开发利用政策的实施对水资源开发利用的推动效果不断加强。

表 4-3　长江经济带各省市水资源开发利用效率指标水平

省市	2016 年	2017 年	2018 年	2019 年	均值
上海	0.534	0.534	0.540	0.561	0.542
江苏	0.342	0.351	0.367	0.387	0.362
浙江	0.771	0.783	0.805	0.829	0.797
安徽	0.456	0.495	0.531	0.604	0.522
长江下游均值	0.526	0.541	0.561	0.595	0.556
江西	0.337	0.358	0.367	0.380	0.360
湖北	0.396	0.405	0.413	0.434	0.412
湖南	0.379	0.396	0.419	0.441	0.409
长江中游均值	0.371	0.386	0.399	0.418	0.394
重庆	0.607	0.615	0.640	0.668	0.632
四川	0.580	0.592	0.618	0.651	0.610
贵州	0.440	0.452	0.457	0.476	0.456
云南	0.491	0.510	0.581	0.639	0.555
长江上游均值	0.529	0.542	0.574	0.609	0.564
均值	0.485	0.499	0.522	0.552	0.514

注：因数据四舍五入，计算结果有偏差。

（2）单位 GDP 用水总量呈下降趋势

如表 4-4 所示，整体而言，2016—2019 年长江经济带单位 GDP 用水总量呈现逐年下降趋势，其均值从 2016 年的 82.2 米^3/万元降至 2019 年的 60.0 米^3/万元，降幅为 27.0%，表明长江经济带水资源开发利用政策的实施对长江经济带单位 GDP 用水总量的约束成效显著。分区域看，长江上游、中游、下游地区 2016 年的均值分别为 77.9 米^3/万元、107.9 米^3/万元、67.3 米^3/万元，2019 年的均值分别为 54.4 米^3/万元、84.1 米^3/万元、47.5 米^3/万元，降幅分别为 30.2%、22.1%、29.4%，表明长江经济带三大区域的单位 GDP 用水总量均呈现下降趋势，表明长江经济带水资源开发利用政策的实施效果良好，但对各个区域单位 GDP 用水总量的约束存在差异，需要进一步完善政策，加强监管。

从省市层面看，九省两市的单位 GDP 用水总量呈下降趋势，尤其是安徽、云南、四川、浙江的降幅较为显著，2019 年相较于 2016 年分别下降 37.2%、34.4%、33.4%、30.5%，分别占据长江经济带九省两市的前四位。其中，安徽、浙江属于长江经济带下游地区，其余两省来自长江经济带上游地区，表明水资源开发利用政策的实施对长江经济带各省市单位 GDP 用水总量起到了约束作用。综上可知，无论是从整体经济带出发，还是从分区域、省市来看，长江经济带单位 GDP 用水总量不断下降，表明水资源开发利用政策的实施对单位 GDP 用水总量的作用效果不断增强。

表 4-4　长江经济带各省市单位 GDP 用水总量　　单位：米^3/万元

省市	2016 年	2017 年	2018 年	2019 年	均值
上海	37.2	34.8	31.6	26.4	32.5
江苏	74.6	68.8	63.9	62.1	67.4
浙江	38.3	34.7	30.9	26.6	32.6
安徽	119.1	105.5	95.2	74.8	98.7
长江下游均值	67.3	61.0	55.4	47.5	55.8
江西	132.7	119.1	114.1	102.3	117.0
湖北	86.3	79.5	75.4	66.2	76.8
湖南	104.7	94.5	92.5	83.8	93.9
长江中游均值	107.9	97.7	94.0	84.1	95.9
重庆	43.7	39.7	37.9	32.4	38.4
四川	81.2	72.6	63.7	54.1	67.9
贵州	85.2	76.4	72.1	64.5	74.5
云南	101.6	94.7	87.1	66.7	87.5
长江上游均值	77.9	70.9	65.2	54.4	67.1
均值	82.2	74.6	69.5	60.0	70.9

注：因数据四舍五入，计算结果有偏差。

(3) 生活用水占供水比管控有待加强

如表 4-5 所示，整体而言，2016—2019 年长江经济带生活用水占供水比呈现逐年上升趋势，其均值从 2016 年的 17.29%升至 2019 年的 18.40%，增幅为

6.4%，表明长江经济带水资源开发利用政策的实施对长江经济带生活用水管控的效果有待加强。分区域看，长江上游、中游、下游地区2016年的均值分别为19.02%、14.45%、17.68%，2019年的均值分别为20.90%、14.51%、18.82%，增幅分别为9.9%、0.4%、6.4%，长江上游和下游地区增幅较为明显，中游地区增幅则稍弱。三大区域的生活用水占供水比均呈现上升趋势，表明长江经济带水资源开发利用政策的实施对区域生活用水占供水比的管控效果较不理想，出现不减反增的趋势，需要通过制定对应措施，进一步完善约束。

从省市层面看，九省两市的生活用水占供水比多数呈现逐年上升趋势，尤其是四川、浙江、重庆、安徽的增幅较为明显，分别占据长江经济带九省两市的前四位，仅江西、湖北两地出现下降趋势，表明水资源开发利用政策的实施对长江经济带各省市生活用水占供水比约束效果需要进一步加强。综上可知，无论是从整体区域出发，还是从分区域、省市来看，长江经济带生活用水占供水比多数呈不断上升趋势，水资源开发利用政策的实施对生活用水占供水比的作用效果有待进一步加强。

表4-5　长江经济带各省市生活用水占供水比　　单位：%

省市	2016年	2017年	2018年	2019年	均值
上海	23.95	23.47	23.69	23.98	23.78
江苏	9.72	9.89	10.30	10.34	10.06
浙江	25.57	26.18	27.16	28.47	26.84
安徽	11.49	11.64	11.93	12.50	11.89
长江下游均值	17.68	17.80	18.27	18.82	18.14
江西	11.61	11.65	11.56	11.49	11.58
湖北	18.58	18.33	18.32	18.01	18.31
湖南	13.17	13.61	13.56	14.02	13.59
长江中游均值	14.45	14.53	14.48	14.51	14.49
重庆	26.06	26.49	27.85	28.63	27.26
四川	18.63	18.89	21.00	21.43	19.99
贵州	17.35	18.16	18.26	18.50	18.07
云南	14.05	13.86	15.16	15.04	14.53
长江上游均值	19.02	19.35	20.57	20.90	19.96
均值	17.29	17.47	18.07	18.40	17.81

注：因数据四舍五入，计算结果有偏差。

(4) 生产用水占供水比降幅明显

如表 4-6 所示，整体而言，2016—2019 年长江经济带生产用水占供水比呈现逐年下降趋势，其均值从 2016 年的 81.40%降至 2019 年的 79.97%，降幅为 1.8%，表明长江经济带水资源开发利用政策的实施对长江经济带生产用水占供水比的约束成效显著。分区域看，长江上游、中游、下游地区 2016 年的均值分别为 79.41%、84.82%、80.82%，2019 年的均值分别为 77.15%、84.62%、79.31%，降幅分别为 2.8%、0.2%、1.9%，长江上游和下游地区降幅大于中游地区降幅，表明长江经济带水资源开发利用政策的实施对长江经济带生产用水所起的约束效果显著，但是在三大区域内的表现存在较大差异。

从省市层面看，九省两市的生产用水占供水比多数呈现下降趋势，尤其是浙江、重庆、四川、云南，降幅分别占据长江经济带九省两市的前四位，其中，仅浙江属于长江经济带下游地区，其余三省市均来自长江经济带上游地区，表明长江经济带水资源开发利用政策的实施对长江经济带各省市生产用水占供水比起到了约束作用。综上可知，无论是从整体区域出发，还是从分区域、省市来看，长江经济带生产用水占供水比呈现不断下降的趋势，水资源开发利用政策的实施对生产用水占供水比的约束效果较强。

表 4-6　长江经济带各省市生产用水占供水比　　单位：%

省市	2016 年	2017 年	2018 年	2019 年	均值
上海	75.29	75.76	75.53	75.12	75.43
江苏	89.94	89.75	89.27	89.06	89.51
浙江	71.45	70.75	69.68	68.28	70.04
安徽	86.58	86.26	85.72	84.77	85.83
长江下游均值	80.82	80.63	80.05	79.31	80.20
江西	87.49	87.42	87.52	87.60	87.51
湖北	80.99	81.26	81.24	81.43	81.23
湖南	85.99	85.56	85.37	84.83	85.44
长江中游均值	84.82	84.75	84.71	84.62	84.73
重庆	72.52	72.09	70.60	69.67	71.22
四川	79.20	78.95	76.84	76.23	77.80
贵州	81.85	80.87	80.90	80.57	81.05
云南	84.09	84.23	82.34	82.12	83.19

续表

省市	2016年	2017年	2018年	2019年	均值
长江上游均值	79.41	79.03	77.67	77.15	78.32
均值	81.40	81.17	80.46	79.97	80.75

注:因数据四舍五入,计算结果有偏差。

(5) 生态用水率持续上升

如表4-7所示,整体而言,2016—2019年长江经济带生态用水率呈现逐年上升趋势,其均值从2016年的1.323%升至2019年的1.634%,增幅为23.5%,表明长江经济带水资源开发利用政策的实施对长江经济带生态用水率的提升作用效果较强。分区域看,长江上游、中游、下游地区2016年的均值分别为1.588%、0.711%、1.518%,2019年的均值分别为1.951%、0.883%、1.880%,增幅分别为22.9%、24.2%、23.8%。长江经济带三大区域生态用水率均呈上升趋势,增幅从高到低依次为中游、下游、上游,表明长江经济带水资源开发利用政策的实施对长江经济带三大区域生态用水率的提升作用均较为明显。自长江经济带水资源开发利用政策实施以来,生态用水使用不断增多,整体增长趋势明显。

从省市层面看,九省两市的生态用水率多数呈上升趋势,尤其是江苏、云南、湖北、湖南等地区增幅较为明显。浙江、云南、安徽、四川分别占据长江经济带九省两市的前四位,表明长江经济带水资源开发利用政策的实施对长江经济带各省市生态用水率提升均起到促进作用,但是差异依然存在,需进一步加强政策的实施力度。综上可知,无论是从整体区域出发,还是从分区域、省市来看,长江经济带生态用水率呈不断上升的趋势,但区域间效果存在差异。

表4-7　长江经济带各省市生态用水率　　单位:%

省市	2016年	2017年	2018年	2019年	均值
上海	0.763	0.763	0.774	0.892	0.798
江苏	0.346	0.355	0.422	0.598	0.430
浙江	3.037	3.064	3.165	3.257	3.131
安徽	1.926	2.136	2.344	2.773	2.295
长江下游均值	1.518	1.580	1.676	1.880	1.663
江西	0.896	0.927	0.957	0.947	0.932
湖北	0.390	0.413	0.438	0.561	0.451

续表

省市	2016 年	2017 年	2018 年	2019 年	均值
湖南	0.847	0.857	1.068	1.141	0.978
长江中游均值	0.711	0.732	0.821	0.883	0.787
重庆	1.419	1.421	1.554	1.699	1.524
四川	2.170	2.161	2.161	2.338	2.207
贵州	0.897	0.870	0.843	0.925	0.884
云南	1.864	1.980	2.505	2.841	2.297
长江上游均值	1.588	1.608	1.766	1.951	1.728
均值	1.323	1.359	1.476	1.634	1.448

注：因数据四舍五入，计算结果有偏差。

4.2.2 管控力度

(1) 长江经济带水资源开发利用管控力度整体小幅增强

使用熵值法测算长江经济带水资源开发利用管控力度指标水平，如表 4-8 所示。整体而言，2016—2019 年长江经济带水资源开发利用管控力度呈现加大趋势，其均值从 2016 年的 0.586 上升至 2019 年的 0.601，增幅为 2.6%，表明长江经济带水资源开发利用政策的实施推动了长江经济带水资源开发利用管控力度逐渐加强，且成效显著。分区域看，长江上游、中游、下游地区 2016 年的均值分别为 0.673、0.502、0.563，2019 年的均值分别为 0.700、0.503、0.575，增长幅度分别为 4.0%、0.2%、2.1%。这说明虽然长江经济带水资源开发利用政策的实施增强了对区域水资源开发利用的管控力度，但是其管控力度在水资源开发利用最弱的上游地区表现最好，在工业较为发达的中下游地区反而低于均值，因此需要进一步加强其约束能力。

此外，从省市层面看，浙江、重庆、云南、贵州分别占据长江经济带九省两市的前四位，除浙江属于长江经济带下游地区外，其余三省市均来自长江经济带上游地区，与上述分析结果较为一致。长江经济带各省市水资源开发利用管控力度多数呈现增强趋势，表明长江经济带水资源开发利用政策的实施对长江经济带各省市水资源开发利用管控力度起到了强化作用。综上可知，无论是从整体区域出发，还是从分区域、省市来看，长江经济带水资源开发利用管控力度不断增强，对水资源开发利用的约束效果不断提升。

表 4-8　长江经济带各省市水资源开发利用管控力度指标水平

省市	2016 年	2017 年	2018 年	2019 年	均值
上海	0.636	0.610	0.620	0.641	0.627
江苏	0.289	0.266	0.266	0.240	0.265
浙江	0.743	0.745	0.758	0.775	0.755
安徽	0.584	0.596	0.612	0.643	0.609
长江下游均值	0.563	0.554	0.564	0.575	0.564
江西	0.548	0.548	0.547	0.546	0.547
湖北	0.476	0.471	0.465	0.466	0.469
湖南	0.482	0.484	0.489	0.497	0.488
长江中游均值	0.502	0.501	0.500	0.503	0.502
重庆	0.740	0.742	0.754	0.767	0.751
四川	0.609	0.607	0.613	0.630	0.615
贵州	0.662	0.658	0.654	0.660	0.659
云南	0.681	0.684	0.721	0.743	0.707
长江上游均值	0.673	0.673	0.686	0.700	0.683
均值	0.586	0.583	0.591	0.601	0.590

注:因数据四舍五入,计算结果有偏差。

(2) 用水总量持续增加

自 2016 年颁布长江经济带用水总量控制相关政策以来,长江经济带各省市用水总量变化如表 4-9 所示。从整体上看,长江经济带用水总量呈现逐年增长的态势,2016 年用水总量为 2 607.1 亿立方米,2019 年用水总量为 2 644.9 亿立方米,用水总量管控政策尚未达到理想的效果。2016—2019 年长江经济带九省两市用水总量整体呈现上升趋势,其均值从 2016 年的 237.01 亿立方米增长到 2019 年的 240.45 亿立方米,增幅约为 1.4%,但是在整体增长趋势下同样存在差异。分区域看,对比长江经济带用水总量情况,长江经济带下游、中游地区用水总量的均值在 2016 年分别为 288.50 亿立方米、285.93 亿立方米,2019 年分别为 290.88 亿立方米、296.50 亿立方米,远高于 2016 年与 2019 年长江经济带用水总量的均值 237.01 亿立方米和 240.45 亿立方米;而长江经济带上游地区用水总量的均值在 2016 年与 2019 年分别为 148.83 亿立方米、147.98 亿立方米,低于 2016 年与 2019 年长江经济带用水总量的均值 237.01

亿立方米和 240.45 亿立方米。下游、中游地区用水总量呈上升趋势，而上游地区用水总量呈下降趋势，这表明长江经济带水资源开发利用政策的实施对用水总量控制取得了成效，但是成效不够显著。相关政策管控仍有待加强，尤其是针对长江经济带中下游地区。

从省市层面看，长江经济带各省市的用水总量趋势迥异。诸如上海、浙江、安徽、重庆、四川从 2016 年的 104.80 亿立方米、181.10 亿立方米、290.70 亿立方米、77.50 亿立方米、267.30 亿立方米降至 2019 年的 100.90 亿立方米、165.80 亿立方米、277.70 亿立方米、76.50 亿立方米、252.40 亿立方米，降幅分别为 3.7%、8.4%、4.5%、1.3%、5.6%，占长江经济带九省两市的 45.5%。江苏、江西、湖北、湖南、贵州、云南等的增幅分别为 7.2%、3.2%、7.5%、0.8%、7.8%、3.1%，占长江经济带九省两市的 54.5%。其中，江苏省的用水规模远高于长江经济带其他各省市的用水规模及平均水平，且用水总量逐年上涨。江苏等省份应按照相关政策的要求，加大对用水量控制的力度，分类施策，实现对水资源的有效管控。综上可知，长江经济带的水资源开发利用政策对用水总量控制有待进一步加强，尤其是针对长江经济带中下游地区。长江经济带内 50%以上的省份都表现出用水总量上升的趋势，因此需要进一步加强水资源开发利用政策的落地实施，增强对用水总量的控制力度。

表 4-9　长江经济带各省市用水总量　　单位：亿立方米

省市	2016 年	2017 年	2018 年	2019 年	均值
上海	104.80	104.80	103.40	100.90	103.48
江苏	577.40	591.30	592.00	619.10	594.95
浙江	181.10	179.50	173.80	165.80	175.05
安徽	290.70	290.30	285.80	277.70	286.13
长江下游均值	288.50	291.48	288.75	290.88	289.90
江西	245.40	248.00	250.80	253.30	249.38
湖北	282.00	290.30	296.90	303.20	293.10
湖南	330.40	326.90	337.00	333.00	331.83
长江中游均值	285.93	288.40	294.90	296.50	291.43
重庆	77.50	77.40	77.20	76.50	77.15
四川	267.30	268.40	259.10	252.40	261.80
贵州	100.30	103.50	106.80	108.10	104.68
云南	150.20	156.60	155.70	154.90	154.35

续表

省市	2016 年	2017 年	2018 年	2019 年	均值
长江上游均值	148.83	151.48	149.70	147.98	149.49
均值	237.01	239.73	239.86	240.45	239.26

注:因数据四舍五入,计算结果有偏差。

(3) 工业、农业、生活三类用水总量变化趋势不同

长江经济带各类用水总量变化情况如表 4-10 所示,其中对工业用水的管控力度较大,取得了良好的管控效果,2016—2019 年,工业用水量从 828.3 亿立方米下降至 786.50 亿立方米;农业用水量从 1 354.10 亿立方米上升至 1 400.30 亿立方米;生活用水量从 393.80 亿立方米上升至 420.20 亿立方米。2016—2019 年,工业用水量均值从 2016 年的 75.30 亿立方米下降到 2019 年的 71.50 亿立方米,降幅为 5.0%;农业用水量均值从 123.10 亿立方米上升至 127.30 亿立方米,增幅为 3.4%;生活用水量均值从 35.80 亿立方米上升至 38.20 亿立方米,增幅为 6.7%。

分区域看,长江上游、下游的工业用水量均值分别从 2016 年的 33.33 亿立方米、113.60 亿立方米降低至 2019 年的 28.05 亿立方米、108.30 亿立方米,降幅分别为 15.8%、4.7%,仅中游的工业用水量均值从 2016 年的 80.30 亿立方米增长到 2019 年的 80.50 亿立方米,增幅为 0.25%。长江下游、中游、上游的农业用水量均值分别从 2016 年的 131.23 亿立方米、162.10 亿立方米、85.75 亿立方米增长至 2019 年的 135.65 亿立方米、169.93 亿立方米、86.95 亿立方米,增幅分别为 3.4%、4.8%、1.4%。长江下游、中游、上游的生活用水量均值分别从 2016 年的 40.23 亿立方米、41.47 亿立方米、27.13 亿立方米增长至 2019 年的 42.53 亿立方米、43.47 亿立方米、29.83 亿立方米,增幅分别为 5.7%、4.8%、10.0%。长江经济带水资源开发利用政策对上游和下游的工业用水起到了制约作用,对中游的工业用水以及三大区域的生活用水、农业用水并未起到较强的约束作用。

从省市层面看,长江经济带九省两市中,除湖南以外,其余省市的工业用水量均呈现负增长;浙江、安徽、湖南、重庆、四川五个省市的农业用水量呈负增长,其余省市呈正增长;除上海以外,其余省市的生活用水量均呈正增长。长江经济带水资源开发利用政策对各省市三类用水的作用效果存在差异,其中对工业用水的约束性较强,对生活用水的影响较小。综上可知,长江经济带水资源开发利用政策对不同区域的三类用水均产生了一定的制约作用,但制约效果在区域、省市层面存在一定差异,需要进一步加强政策引导和管控。

表 4-10　长江经济带各省市各类用水总量　　单位:亿立方米

用水类型	省市	2016 年	2017 年	2018 年	2019 年	均值
工业用水量	上海	64.40	62.70	61.60	58.90	61.90
	江苏	248.50	250.10	255.20	248.30	250.53
	浙江	48.40	46.10	44.00	40.80	44.83
	安徽	93.10	92.20	91.00	85.20	90.38
	长江下游均值	113.60	112.78	112.95	108.30	111.91
	江西	60.50	60.50	58.80	59.40	59.80
	湖北	91.40	87.80	87.40	91.30	89.48
	湖南	89.00	86.00	93.20	90.80	89.75
	长江中游均值	80.30	78.10	79.80	80.50	79.68
	重庆	30.70	30.40	29.10	28.10	29.58
	四川	55.80	51.40	42.50	37.90	46.90
	贵州	25.70	24.80	25.20	25.40	25.28
	云南	21.10	23.40	21.00	20.80	21.58
	长江上游均值	33.33	32.50	29.45	28.05	30.83
	均值	75.30	74.10	73.50	71.50	73.60
农业用水量	上海	14.50	16.70	16.50	16.90	16.15
	江苏	270.80	280.60	273.30	303.10	281.95
	浙江	81.00	80.90	77.10	72.40	77.85
	安徽	158.60	158.20	154.00	150.20	155.25
	长江下游均值	131.23	134.10	130.23	135.65	132.80
	江西	154.20	156.30	160.70	162.50	158.43
	湖北	137.00	148.10	153.80	155.60	148.63
	湖南	195.10	193.70	194.50	191.70	193.75
	长江中游均值	162.10	166.03	169.67	169.93	166.93
	重庆	25.50	25.40	25.40	25.20	25.38
	四川	155.90	160.50	156.60	154.50	156.88
	贵州	56.40	58.90	61.20	61.70	59.55
	云南	105.20	108.50	107.20	106.40	106.83
	长江上游均值	85.75	88.33	87.60	86.95	87.16
	均值	123.10	126.20	125.50	127.30	125.53

续表

用水类型	省市	2016 年	2017 年	2018 年	2019 年	均值
生活用水量	上海	25.10	24.60	24.50	24.20	24.60
	江苏	56.10	58.50	61.00	64.00	59.90
	浙江	46.30	47.00	47.20	47.20	46.93
	安徽	33.40	33.80	34.10	34.70	34.00
	长江下游均值	40.23	40.98	41.70	42.53	41.36
	江西	28.50	28.90	29.00	29.10	28.88
	湖北	52.40	53.20	54.40	54.60	53.65
	湖南	43.50	44.50	45.70	46.70	45.10
	长江中游均值	41.47	42.20	43.03	43.47	42.54
	重庆	20.20	20.50	21.50	21.90	21.03
	四川	49.80	50.70	54.40	54.10	52.25
	贵州	17.40	18.80	19.50	20.00	18.93
	云南	21.10	21.70	23.60	23.30	22.43
	长江上游均值	27.13	27.93	29.75	29.83	28.66
	均值	35.80	36.60	37.70	38.20	37.08

注：因数据四舍五入，计算结果有偏差。

（4）用水超载率不断上升

如表 4-11 所示，整体而言，2016—2019 年长江经济带用水超载率呈现上升趋势，其均值从 2016 年的 33.9%上升至 2019 年的 60.2%，增幅为 77.6%，表明长江经济带水资源开发利用政策的实施使长江经济带用水超载率变高，对用水的管控尚需加强。分区域看，长江上游、中游、下游地区 2016 年的用水超载率均值分别为 10.2%、15.0%、71.7%，2019 年的均值分别为 11.1%、25.9%、135.0%，增幅分别为 8.8%、72.7%、88.3%，下游的用水超载率显著高于上中游。长江经济带用水超载率高的地方多集中于下游地区，而长江经济带上中游地区用水超载率则维持在较低水平。这说明长江下游地区在发展经济、产业时仍依托于大量的水资源利用，致使水资源超载率持续上升，加剧了水资源的过度开发与利用，需要进一步依托水资源开发利用相关政策进行管控调整。

从省市层面看，上海、江苏、安徽、湖北的用水超载率分别占据长江经济带九省两市的前四位，除湖北属于长江经济带中游地区外，其余三省市均来自长江经济带下游地区，与上述分析结果较为一致。长江经济带九省两市的用水超载率多数呈现上升趋势，仅浙江、四川等地区呈现下降趋势，表明针对长江经济带各省市的水资源开发需要进一步加强水资源管控力度以降低用水超载率。综上可知，无论是从整体区域出发，还是从分区域、省市来看，长江经济带水资源开发利用政策仍需加强对用水超载率的管控力度。

表 4-11　长江经济带各省市用水超载率　　单位：%

省市	2016 年	2017 年	2018 年	2019 年	均值
上海	171.8	308.2	267.2	208.9	239.0
江苏	77.8	150.5	156.4	267.2	163.0
浙江	13.7	20.0	20.1	12.5	16.6
安徽	23.3	37.0	34.2	51.4	36.5
长江下游均值	71.7	128.9	119.5	135.0	113.8
江西	11.0	15.0	21.8	12.3	15.1
湖北	18.8	23.2	34.6	49.4	31.5
湖南	15.0	17.1	25.1	15.9	18.3
长江中游均值	15.0	18.4	27.2	25.9	21.6
重庆	12.8	11.8	14.7	15.4	13.7
四川	11.4	10.9	8.8	9.2	10.1
贵州	9.4	9.8	10.9	9.7	10.0
云南	7.2	7.1	7.1	10.1	7.9
长江上游均值	10.2	9.9	10.4	11.1	10.4
均值	33.9	55.5	54.6	60.2	51.0

注：因数据四舍五入，计算结果有偏差。

4.3　存在的主要问题

在国家相关部委、各省市的共同努力以及相关政策的指导下，长江流域水资源利用效率显著提高，水资源配置渐趋合理，长江生态环境明显改善。由于长江经济带涉及省市众多，横向和纵向参与部门林立，虽然出台了不少国家层面政策，但在具体政策执行过程中依然存在诸多问题，使得长江水资源政策效果未能发挥出合力作用。

4.3.1 纵向政府间、横向各行政区责权不清晰

在长江流域的水资源开发利用中，首先从纵向上来看，中央政府统一制定相关政策、规划、法规等，地方政府负责水资源政策的具体落实以及方案的制定，但实际情况是，少数地方政府的实施效果并未达到政策目标要求。尽管中央出台了一系列政策，但长江水资源利用方式粗放，水污染现象仍然频发。

从横向上看，长江流域横向跨度长，主要涉及 11 个省市。水资源开发和治理具有很强的外部性，其治理成效不仅会使本地区受益，其相近地区也会受益。反过来说，水资源是一个具有公共性的循环系统，当一个地区的水资源问题导致长江生态系统被破坏，其他地区也很难独善其身、完全置身事外。长江流域跨多个行政区，水资源开发和治理工作受到行政区划的约束，出现了“画地为牢”“政出多门”的现象。因此，应加强长江流域的协同治理，彻底改变各地水资源政策执行主体各自为政、跨界水资源政策的执行过程中管理责权存在空白和堆叠、地方政府横向间互动效果达不到理想状态、各行政区责权不明晰严重制约着长江水资源政策执行效果的现象。

4.3.2 流域资源监管乏力，问责制度不健全

公共政策的执行是以公共权力为基础的，公共权力只有在规范有力的监督之下，才能够保证其操作的合法性和权威性。对长江流域水资源政策执行的监督自始至终贯穿在政策执行的过程中，监督的力度、方式、及时性以及效果都会直接关系到水资源政策的最终执行效果。从现有的管理监督制度来看，制度刚性不足，责任追究方式种类单一，中央对长江沿江各省市的监督落实产生虚化问题，地方政府水资源治理责任难压实，水资源政策执行过程中的监管不足。同时，在问责机制上，虽然有相关法律法规明确规定地方政府应对辖区流域内长江水资源问题负责，但地方政府问责制的规章效力层级低、问责主体范围狭窄、问责力度不强、问责程序不健全，致使相关监管者的责任得不到应有的追问，水资源政策执行效果和地方执行力大打折扣。

4.3.3 流域水资源治理效果综合评估指标单一

科学的评估对一项政策来说是至关重要的。现行的流域水资源治理成效多以长江政策规划中确定的目标来衡量，尽管国家各部门发布的诸如规划、纲

要等对约束性指标和控制性指标都非常具体，但如何科学地反映这些指标、科学地体现水资源治理效果，则需要一套科学的评估体系和监测方法。就目前来看，长江流域水资源治理缺乏统一的价值评估和核算体系，造成水资源治理缺乏合理的技术与方法，仅有一些定量的规定性评价，缺乏质性的研究，导致治理成本过高，投入与产出比例失衡。

4.3.4 社会公众和企业参与政策力度不高

政策执行的过程是政策执行主体、政策对象与政策环境相互作用的过程。公众和企业作为水资源政策的直接作用对象，对政策的实际参与度却不高。长江横跨 11 个省市，跨界水资源管理是一项复杂的工程，单靠一个主体独立解决难以发挥政策最大效应。公众和企业是政策执行过程中的重要力量，在水资源治理和水环境保护方面有着不可替代的作用。政府相关部门就水资源开发利用出台的一系列措施，在政策的制定过程中，公众和企业参与力度不足。未能将政府、企业、公众、社会组织等纳入一个框架中，未能形成多元治理对话机制，难以打造长江水资源治理协同合作的局面。

4.3.5 在规划环评中缺乏有效指导

在水资源开发利用的过程中，规划环评也发挥着至关重要的作用，可实现对所需要规划的内容的合理优化配置，进而为水资源开发与利用奠定良好的基础。但是，在实际的规划环评工作中，经常会受到多方面因素的影响，对规划环评工作的开展形成了非常严重的阻碍，同时也会引发各种问题。在规划环评工作的开展过程中，通常缺少合理有效的指导，具体体现在以下两点：① 项目规划与规划环评在内容上具有一定的不同，所以两者在实施中无法保证统一性。部分地区要想实施规划工作，必须在规划环评开展的前提下才能得到有效实施。② 在水资源开发与利用工作的实施中，没有实现对水资源的合理优化配置，同时没有对水资源的特点予以高度重视，这就导致项目规划与规划环评之间产生了一定的差异，甚至出现一定的偏离现象。

4.3.6 地区间利用效率差异较大

从流域和区域角度看，长江经济带上中下游、沿江两岸均存在区域发展不均衡、产业布局不合理的问题。长江经济带 11 个省市产业发展阶段和布局缺乏统筹，总体规划布局不合理，没有形成一个从产品到供应、价值、产业的上中下游紧密的链，由此导致流域上中下游水资源利用效率不同，水资源的需求矛盾正逐步凸显。长江流域水资源开发利用率为 17.8%，工业、生活、灌溉用水利用率不高，工业用水重复利用率在 62%左右，城市供水管网漏失率普遍约为 20%，灌溉水利用系数约为 0.45。总体来看，长江流域水资源利用效率低于全国平均值，水资源浪费严重，具有较大的节水潜力。从沿江两岸来看，依托长江水运优势，长江经济带各省市沿江集中布局了一批煤炭、化工、钢铁、有色金属、制药、造纸等高耗能、高耗水、高污染以及资源依赖较强的产业，目前沿江分布着五大钢铁基地、七大炼油中心，还有一批有色金属基地、机械工业基地和石油化工基地。据不完全统计，长江沿岸化工企业约占全国的 1/2，省级以上工业园区和经济开发区约占全国的 1/3。高耗水、高排放产业的高强度分布造成了沿江两岸水资源利用的区域不平衡，对该区域生活饮用水、生态用水等形成了一定压力。

05

第五章

长江水生态保护修复政策实施效果评价

生态环境是人类生存发展的基本条件和经济社会发展的重要基础。长江经济带作为我国重要的生态功能区，具有重要的水源涵养、水土保持和生物多样性维护等功能，也是我国重要的战略水源地。长江经济带对我国生态安全具有重要的战略支撑作用，是支撑我国经济社会可持续发展的重要基础。《长江保护法》明确提出了“生态用水保障、饮用水水源地保护、长江流域生态环境保护和修复、地下水资源保护”等水资源保护重点任务。其中，长江流域生态环境保护和修复即水生态环境修复被放在长江立法中的重要位置。

党中央、国务院高度重视长江经济带生态环境保护工作，习近平总书记多次就长江经济带生态环境保护与修复作出重要指示，中央经济工作会议将长江保护修复攻坚战列为国家污染防治攻坚战的七大标志性战役之一。2018年12月，生态环境部及国家发展改革委联合印发了《长江保护修复攻坚战行动计划》。从生态环境空间管控、排污口排查整治等八个方面进一步明确了生态环境保护的主要任务、牵头单位等。沿江各省市开展了以水环境综合治理、河湖岸线整治、重点水域十年禁捕、河湖“四乱”清理、小水电整顿等为重点内容的生态环境保护修复工作。

在新形势下，长江经济带生态发展依然面临严峻挑战，表现在水环境质量巩固难度增大、水生态系统保护修复欠账较多等方面。同时，各省市生态发展水平与面临问题各不相同，推动生态发展的行动举措也多样。为此，了解长江经济带生态发展现状与水平，认清生态发展问题与不足，分析各省市推进长江经济带生态发展的成效与经验，对于长江经济带打好修复攻坚战，具有十分重要的意义。

5.1 评价指标体系构建

长江水生态保护修复政策实施效果评价是否科学合理，关键在于指标的选取。如何从繁多的指标中选取能够反映政策实施效果的指标，需要考虑参照诸多因素，如对经济社会、环境等诸多方面的影响。2021年11月，《中共中央 国务院关于深入打好污染防治攻坚战的意见》(以下简称《意见》)印发实施，明确要求持续打好长江保护修复攻坚战，为新时期长江保护修复工作指明了方向，提供了遵循。鉴于此，分别从保护效果、修复力度等两个维度出发选取合理的指标并构建评价指标体系，力图全面真实地反映政策实施效果。其中，保护效果维度包括工业废水排放、生活废水排放、万元GDP化学需氧量排放量、万元 GDP 氨氮排放量、环境污染治理投资占比 GDP 等五个指标；修复力度包括森林覆盖率、水土流失治理率、湿地面积变化、环保财政支出占比 GDP 等四个指标，如表 5-1 所示（本章表格数据来源于国家统计局官网）。

表 5-1　长江水生态保护修复政策实施效果评价指标体系

一级指标	二级指标	三级指标
长江水生态保护修复政策实施效果	保护效果	工业废水排放(－)
		生活废水排放(－)
		万元 GDP 化学需氧量排放量(－)
		万元 GDP 氨氮排放量(－)
		环境污染治理投资占比 GDP(＋)
	修复力度	森林覆盖率(＋)
		水土流失治理率(＋)
		湿地面积变化(＋)
		环保财政支出占比 GDP(＋)

5.2　评价结果分析

运用熵值法测算长江经济带水生态保护修复政策的实施效果评价指标水平，结果如表 5-2 所示。整体而言，2016—2019 年长江经济带水生态保护修复政策的实施效果呈现下降趋势，其均值从 2016 年的 0.540 降至 2019 年的 0.506，降幅为 6.3%，表明长江经济带水生态保护修复政策的实施效果不显著，需要进一步加强对水生态保护修复的监管力度。分区域看，长江上游、中游、下游地区 2016 年的均值分别为 0.519、0.522、0.576，2019 年的均值分别为 0.499、0.489、0.525，变化幅度分别为－3.9%、－6.3%、－8.9%，三大区域均为负增长，表明各区域的水生态保护修复政策并没有产生显著成效。

从省市层面看，上海、安徽、浙江、贵州的均值分别占据长江经济带的前四位，除贵州外，其余三省市均来自长江经济带下游地区。此外，长江经济带九省两市的水生态保护修复政策的实施效果评价指标水平多数呈现下降趋势，仅江西、贵州等地区出现增长趋势，表明各地区水生态保护修复政策的实施效果不理想，需要进一步加大政策实施力度。综上可知，无论是从整体经济带出发，还是从分区域、省市来看，长江经济带水生态保护修复政策的实施并未起到应有的效果，需要从评估和监管等方面加大政策实施力度。

表 5-2　长江经济带各省市水生态保护修复政策的实施效果评价指标水平

省市	2016 年	2017 年	2018 年	2019 年	均值
上海	0.574	0.623	0.621	0.509	0.582
江苏	0.555	0.505	0.486	0.502	0.512
浙江	0.578	0.545	0.526	0.543	0.548
安徽	0.597	0.554	0.520	0.547	0.555
长江下游均值	0.576	0.556	0.538	0.525	0.549
江西	0.493	0.490	0.488	0.522	0.498
湖北	0.572	0.489	0.486	0.497	0.511
湖南	0.500	0.463	0.447	0.447	0.464
长江中游均值	0.522	0.481	0.473	0.489	0.491
重庆	0.494	0.517	0.517	0.477	0.501
四川	0.497	0.495	0.482	0.479	0.488
贵州	0.527	0.493	0.506	0.542	0.517
云南	0.556	0.530	0.475	0.497	0.515
长江上游均值	0.519	0.509	0.495	0.499	0.505
均值	0.540	0.519	0.505	0.506	0.517

注：因数据四舍五入，计算结果有偏差。

5.2.1　保护效果

(1) 长江经济带水生态保护效果有待提升

通过熵值法测算长江经济带水生态保护修复政策的保护效果评价指标水平，结果如表 5-3 所示。整体而言，2016—2019 年长江经济带水生态保护修复政策的保护效果呈现逐年减弱趋势，其均值从 2016 年的 0.601 降至 2019 年的 0.489，下降幅度较大，降幅为 18.6%，表明长江经济带水生态保护修复政策的保护效果不显著，需要进一步加强对水生态保护修复的监管力度，增强其保护效果。分区域看，长江上游、中游、下游地区 2016 年的均值分别为 0.539、0.547、0.703，2019 年的均值分别为 0.486、0.413、0.549，变化幅度分别为 −9.8%、−24.5%、−21.9%，三大区域均为负增长，表明水生态保护修复政策未能在各区域发挥应有的保护作用。

从省市层面看，上海、安徽、浙江、贵州的均值分别占据长江经济带九省两市的前四位，除贵州外，其余三省市均来自长江经济带下游地区。此外，长江经济带九省两市的水生态保护修复政策的保护效果多数呈现减弱趋势，表明水生态保护修复政策对长江经济带水生态的保护并未起到实质性的提升作用，需要进一步加强。综上可知，无论是从整体区域出发，还是从分区域、省市来看，长江经济带水生态保护修复政策的实施效果多数呈现不断减弱趋势，水生态保护修复政策的实施并未真正有效地促进水生态保护效果的提升，需进一步加强政策实施力度。

表 5-3　长江经济带各省市水生态保护修复政策的保护效果评价指标水平

省市	2016 年	2017 年	2018 年	2019 年	均值
上海	0.875	0.876	0.870	0.715	0.834
江苏	0.527	0.427	0.388	0.410	0.438
浙江	0.652	0.569	0.534	0.537	0.573
安徽	0.759	0.599	0.530	0.533	0.605
长江下游均值	0.703	0.618	0.581	0.549	0.613
江西	0.487	0.461	0.430	0.470	0.462
湖北	0.663	0.508	0.436	0.431	0.509
湖南	0.491	0.426	0.368	0.338	0.406
长江中游均值	0.547	0.465	0.411	0.413	0.459
重庆	0.526	0.567	0.550	0.484	0.532
四川	0.470	0.454	0.406	0.396	0.432
贵州	0.572	0.560	0.567	0.553	0.563
云南	0.588	0.510	0.429	0.511	0.509
长江上游均值	0.539	0.523	0.488	0.486	0.509
均值	0.601	0.541	0.501	0.489	0.533

注：因数据四舍五入，计算结果有偏差。

(2) 工业废水排放和生活废水排放趋势存在差异

从表 5-4 中可以看出，2016—2019 年长江经济带生活废水排放量均值从 226 868.0 万吨下降至 194 817.0 万吨，降幅为 14.1%；2016—2019 年，工业废水排放量均值从 58 607.9 万吨增长至 80 716.3 万吨，增幅为 37.7%。两者变化趋势存在显著差异，表明长江经济带九省两市都在水资源利用管控方面取得了政策成效，初步实现“在开发中保护、在保护中开发”的目标。其中，生活废水排放量管控的效果比较明显，工业废水排放量管控的效果则不够明显。

分区域看，长江下游、中游、上游地区的生活废水排放量均值在 2016 年分别为 277 804.4 万吨、215 516.0 万吨、184 446.5 万吨，在 2019 年分别为 218 522.6 万吨、162 811.1 万吨、195 116.3 万吨，变化幅度分别为－21.3％、－24.5％、5.8％，长江经济带中游和下游地区为下降，上游地区则为上升，表明长江经济带水生态保护修复政策的实施对长江中游和下游地区生活废水排放的改善效果较为明显，对上游地区的约束效果则不显著，有待进一步加强约束管控。2016 年长江下游、中游、上游地区的工业废水排放量均值分别为 99 422.0 万吨、49 362.7 万吨、24 727.8 万吨，2019 年分别为 133 214.2 万吨、70 051.3 万吨、36 217.4 万吨，变化幅度分别为 34.0％、41.9％、46.5％，长江经济带上游和中游地区的上升幅度高于下游地区，表明水生态保护修复政策对长江经济带工业废水排放未能发挥应有的约束作用。

从省市层面看，除了四川、贵州、云南、浙江的生活废水排放量呈现增长趋势，其余 7 个省市的生活废水排放量呈下降趋势，与上述分析中长江经济带上游地区的生活废水排放量呈上升趋势较为一致。而工业废水排放量无论是从区域上还是省市上看均呈现上升趋势。综上可知，长江经济带的水生态保护修复政策对工业废水排放的约束作用较弱，而对生活废水排放约束较强。长江经济带水生态保护修复政策对长江下游和中游的生活废水排放起到了较强的约束效果，对上游则较弱，因此需要进一步加强政策约束。工业废水排放方面，上中下游地区均呈现上升趋势，所以需进一步对其政策作用进行强化。

表 5-4　长江经济带各省市生活、工业废水排放量　　单位：万吨

类型	省市	2016 年	2017 年	2018 年	2019 年	均值
生活废水排放量	上海	184 159.8	183 619.7	177 472.0	160 197.0	176 362.1
	江苏	434 566.0	337 854.9	296 442.5	255 030.2	330 973.4
	浙江	300 943.8	265 094.9	285 766.7	306 438.5	289 561.0
	安徽	191 547.9	166 244.2	159 334.5	152 424.7	167 387.8
	长江下游均值	277 804.4	238 203.4	229 753.9	218 522.6	241 071.1
	江西	166 305.9	114 582.3	81 336.3	48 090.2	102 578.7
	湖北	229 033.3	200 991.8	201 102.9	201 213.9	208 085.5
	湖南	251 208.9	229 395.3	234 262.2	239 129.1	238 498.9
	长江中游均值	215 516.0	181 656.5	172 233.8	162 811.1	183 054.3
	重庆	176 186.3	165 760.0	166 695.9	167 631.8	169 068.5
	四川	321 590.4	298 472.0	311 229.9	323 987.9	313 820.1
	贵州	90 699.1	99 945.5	117 400.2	134 855.0	110 724.9

续表

类型	省市	2016年	2017年	2018年	2019年	均值
生活废水排放量	云南	149 310.3	146 264.4	150 127.5	153 990.6	149 923.2
	长江上游均值	184 446.5	177 610.5	186 363.4	195 116.3	185 884.2
	均值	226 868.0	200 748.0	198 288.0	194 817.0	205 180.3
工业废水排放量	上海	36 599.0	28 331.1	25 670.9	34 138.0	31 184.7
	江苏	182 058.0	237 340.9	237 325.0	237 309.1	223 508.3
	浙江	129 913.0	188 840.2	191 246.6	193 653.1	175 913.2
	安徽	49 118.0	67 593.4	67 674.9	67 756.4	63 035.7
	长江下游均值	99 422.0	130 526.4	130 479.3	133 214.2	123 410.5
	江西	54 786.0	74 780.0	76 296.5	77 813.0	70 918.9
	湖北	45 754.0	71 702.4	69 498.3	67 294.1	63 562.2
	湖南	47 548.0	71 167.9	68 107.3	65 046.7	62 967.5
	长江中游均值	49 362.7	72 550.1	71 300.7	70 051.3	65 816.2
	重庆	25 875.0	34 916.9	32 596.6	30 276.3	30 916.2
	四川	31 236.0	63 965.6	60 818.8	57 671.9	53 423.1
	贵州	10 021.0	18 071.2	17 913.0	17 754.8	15 940.0
	云南	31 779.0	38 847.5	39 006.9	39 166.3	37 199.9
	长江上游均值	24 727.8	38 950.3	37 583.8	36 217.4	34 369.8
	均值	58 607.9	81 414.3	80 559.5	80 716.3	75 324.5

注：因数据四舍五入，计算结果有偏差。

(3) 万元GDP化学需氧量排放量需加强约束

如表5-5所示，整体而言，2016—2019年长江经济带万元GDP化学需氧量排放量呈现上升趋势，其均值从2016年的1.745千克/万元上升至2019年的4.032千克/万元，增幅为131.1%，表明长江经济带水生态保护修复政策的实施并未有效抑制长江经济带万元GDP化学需氧量排放，对水生态保护修复极为不利。分区域看，长江上游、中游、下游地区2016年的万元GDP化学需氧量排放量均值分别为2.049千克/万元、2.167千克/万元、1.125千克/万元，2019年的万元GDP化学需氧量排放量均值分别为3.967千克/万元、6.333千克/万元、2.371千克/万元，增幅为93.6%、192.2%、110.8%，中下游地区的增幅大于上游地区，长江经济带万元GDP化学需氧量排放量高的省市多集中于中上游地区，而下游地区的万元GDP化学需氧量排放量则维持在较低水平。但总体而言，水生态保护修复政策对三大区域的万元GDP化学需氧量排放均未起到约束作用。

从省市层面看，江西、湖南、安徽、湖北的均值分别占据长江经济带九省两市万元GDP化学需氧量排放量的前四位，除安徽外，其余三者均来自中游地区，与上述分析结果较为吻合。长江经济带九省两市的万元GDP化学需氧量排放量多数呈现上升趋势，表明政策的实施在省市层面作用不显著。综上可知，无论是从整体区域出发，还是从分区域、省市来看，长江经济带万元GDP化学需氧量排放量多数呈现上升趋势，表明水生态保护修复政策的实施并未真正有效地抑制万元GDP化学需氧量排放量的提升，需进一步加强政策管控力度。

表5-5　长江经济带各省市万元GDP化学需氧量排放量 单位：千克/万元

省市	2016年	2017年	2018年	2019年	均值
上海	0.523	0.027	0.104	0.238	0.223
江苏	0.965	1.655	2.264	2.781	1.916
浙江	0.977	0.817	0.683	0.554	0.758
安徽	2.033	3.859	5.424	5.909	4.306
长江下游均值	1.125	1.589	2.119	2.371	1.801
江西	2.999	4.246	5.519	6.231	4.749
湖北	1.592	3.523	5.216	6.153	4.121
湖南	1.910	3.695	5.364	6.614	4.396
长江中游均值	2.167	3.821	5.366	6.333	4.422
重庆	1.441	1.688	1.977	2.016	1.780
四川	2.055	3.147	4.057	4.585	3.461
贵州	2.173	3.236	4.191	4.787	3.597
云南	2.528	3.605	4.575	4.479	3.796
长江上游均值	2.049	2.919	3.700	3.967	3.159
均值	1.745	2.681	3.579	4.032	3.009

注：因数据四舍五入，计算结果有偏差。

（4）万元GDP氨氮排放量大幅下降

如表5-6所示，整体而言，2016—2019年长江经济带万元GDP氨氮排放量呈现下降趋势，其均值从2016年的0.223千克/万元降至2019年的0.136千克/万元，降幅为39%，表明长江经济带水生态保护修复政策的实施令长江经济带万元 GDP 氨氮排放量下降，有利于水生态保护修复。分区域看，长江上游、中游、下游地区 2016 年的万元 GDP 氨氮排放量均值分别为 0.251 千克/万元、0.264 千克/万元、0.164 千克/万元，2019 年的万元 GDP 氨氮排放量均值分别为 0.141 千克/万元、0.187 千克/万元、0.092 千克/万元，降幅分别为 43.8%、29.2%、43.9%，上游和下游地区的降幅显著大于中游地区。长江经济带万元 GDP 氨氮排放量高的地方多集中于上中游地区，而下游地区的万元 GDP 氨氮排放量则维持在较低水平。总体而言，无论是对上中游地区还是下游地区，水生态保护修复政策对万元 GDP 氨氮排放均起到抑制作用。

从省市层面看，江西、湖南、云南、贵州的均值分别占据长江经济带九省两市万元 GDP 氨氮排放量的前四位，江西、湖南属于中游地区，另外两省来自上游地区，与上述分析结果较为一致。长江经济带九省两市的万元 GDP 氨氮排放量均呈现下降趋势，表明长江经济带水生态保护修复政策在省市层面依旧有效。综上可知，无论是从整体区域出发，还是从分区域、省市来看，长江经济带万元 GDP 氨氮排放量多数呈现下降趋势，水生态保护修复政策能够较为有效地抑制万元 GDP 氨氮排放量的提升。

表 5-6　长江经济带各省市万元 GDP 氨氮排放量　单位：千克/万元

省市	2016 年	2017 年	2018 年	2019 年	均值
上海	0.136	0.003	0.075	0.065	0.070
江苏	0.133	0.082	0.093	0.087	0.099
浙江	0.154	0.060	0.093	0.083	0.098
安徽	0.231	0.155	0.165	0.133	0.171
长江下游均值	0.164	0.075	0.107	0.092	0.109
江西	0.327	0.257	0.259	0.230	0.268
湖北	0.209	0.159	0.161	0.138	0.167
湖南	0.257	0.209	0.211	0.193	0.218
长江中游均值	0.264	0.209	0.210	0.187	0.218
重庆	0.203	0.073	0.124	0.107	0.127
四川	0.243	0.160	0.171	0.149	0.181
贵州	0.262	0.171	0.182	0.161	0.194
云南	0.294	0.155	0.193	0.149	0.198
长江上游均值	0.251	0.140	0.168	0.141	0.175
均值	0.223	0.135	0.157	0.136	0.163

注：因数据四舍五入，计算结果有偏差。

（5）环境污染治理投资占比 GDP 有待增强

如表 5-7 所示，2016—2019 年长江经济带环境污染治理投资占比 GDP 呈现下降趋势，其均值从 2016 年的 0.089%下降到 2019 年的 0.049%，降幅为 44.9%，表明水生态保护修复政策并未带动长江经济带环境污染治理投资占比 GDP 的提升。分区域看，长江下游、中游、上游地区的环境污染治理投资占比 GDP 均值在 2016 年分别为 0.145%、0.070%、0.048%，在 2019 年分别为 0.067%、0.041%、0.037%，降幅分别为 53.8%、41.4%、22.9%，下游和中游地区的降幅大于上游地区，表明水生态保护修复政策对区域层面的环境污染治理投资占比 GDP 未起到应有的带动作用。

从省市层面看，部分省市的环境污染治理投资占比 GDP 呈现上升趋势，例如江西、贵州；部分省市则为下降趋势，例如上海、江苏、浙江、安徽、湖北、湖南、重庆、四川、云南。综上可知，长江经济带环境污染治理投资占比 GDP 在长江经济带不同省市表现出不同趋势。总体而言，无论是从整体区域出发，还是从分区域、省市来看，长江经济带水生态保护修复政策均未产生有效的带动作用。

表 5-7　长江经济带各省市环境污染治理投资占比 GDP　　单位：%

省市	2016 年	2017 年	2018 年	2019 年	均值
上海	0.184	0.149	0.160	0.078	0.143
江苏	0.097	0.052	0.043	0.060	0.063
浙江	0.127	0.071	0.057	0.055	0.078
安徽	0.170	0.094	0.077	0.073	0.103
长江下游均值	0.145	0.092	0.084	0.067	0.097
江西	0.056	0.051	0.055	0.081	0.061
湖北	0.113	0.048	0.029	0.029	0.055
湖南	0.040	0.025	0.017	0.014	0.024
长江中游均值	0.070	0.041	0.034	0.041	0.047
重庆	0.021	0.031	0.045	0.016	0.028
四川	0.035	0.034	0.027	0.026	0.031
贵州	0.048	0.039	0.058	0.053	0.050
云南	0.086	0.036	0.017	0.051	0.048
长江上游均值	0.048	0.035	0.037	0.037	0.039
均值	0.089	0.057	0.053	0.049	0.062

注：因数据四舍五入，计算结果有偏差。

5.2.2 修复力度

(1) 长江经济带水生态保护修复力度有所提升

通过熵值法测算长江经济带水生态保护修复力度评价指标水平，结果如表 5-8 所示。整体而言，2016—2019 年长江经济带水生态保护修复力度指标水平呈现上升趋势，其均值从 2016 年的 0.489 上升至 2019 年的 0.520，增幅为 6.3%，表明长江经济带水生态保护修复政策的实施推动了水生态保护修复力度的提升。长江上游、中游、下游地区 2016 年的均值分别为 0.501、0.500、0.468，2019 年的均值分别为 0.510、0.553、0.505，增幅分别为 1.8%、10.6%、7.9%，中下游地区的增幅显著大于上游地区，表明长江经济带水生态保护修复政策促进了各区域水生态保护修复力度的提升，但作用强度有所不同。

从省市层面看，江苏、四川、江西、浙江的均值分别占据长江经济带的前四位，上游、中游地区各占一席，下游地区占据两席。此外，长江经济带九省两市的水生态保护修复力度指标水平多数呈现上升趋势，仅云南地区出现下降趋势，表明水生态保护修复政策对长江经济带各省市水生态保护修复力度的提升起到了关键性作用。综上可知，无论是从整体区域出发，还是从分区域、省市来看，长江经济带水生态保护修复力度指标水平多数呈现上升趋势，水生态保护修复政策的作用逐渐显现，各区域逐渐开始响应国家号召，将水生态保护修复放在战略性位置，也在修复力度上不断加码。

表 5-8 长江经济带各省市水生态保护修复力度评价指标水平

省市	2016 年	2017 年	2018 年	2019 年	均值
上海	0.320	0.408	0.410	0.334	0.368
江苏	0.580	0.571	0.569	0.580	0.575
浙江	0.515	0.524	0.519	0.548	0.526
安徽	0.459	0.517	0.513	0.560	0.512
长江下游均值	0.468	0.505	0.503	0.505	0.495
江西	0.498	0.515	0.537	0.566	0.529
湖北	0.496	0.473	0.528	0.553	0.513
湖南	0.508	0.494	0.513	0.538	0.513
长江中游均值	0.500	0.494	0.526	0.553	0.518
重庆	0.467	0.475	0.489	0.471	0.476

续表

省市	2016 年	2017 年	2018 年	2019 年	均值
四川	0.519	0.530	0.546	0.549	0.536
贵州	0.489	0.437	0.454	0.533	0.478
云南	0.529	0.547	0.514	0.486	0.519
长江上游均值	0.501	0.497	0.501	0.510	0.502
均值	0.489	0.499	0.508	0.520	0.504

注:因数据四舍五入,计算结果有偏差。

(2) 森林覆盖率呈上升趋势

森林是山水林田湖草的重要环节,森林覆盖状况是最能反映整体环境状况和治理力度的指标。提高森林覆盖率可以提高自然环境的整体生态系统的承受力,从而显著改善水生态环境。长江经济带各省市森林覆盖情况如表 5-9 所示。长江经济带各省市在提升森林覆盖率、改善整体生态环境方面取得了突出成就。自 2016 年以来,各省市已建造了 2 900 余千公顷的森林,整体森林覆盖率逐年上升,极大地改善了生态系统的承载力和自净能力。整体而言,2016—2019 年长江经济带森林覆盖率呈上升趋势,其均值从 2016 年的 38.18%上升至 2019 年的 40.70%,增幅为 6.6%,表明长江经济带水生态保护修复政策的实施有助于提升森林覆盖率。分区域看,长江上游、中游、下游地区 2016 年的森林覆盖率均值分别为 40.18%、48.73%、28.28%,2019 年的均值分别为 44.99%、50.15%、29.33%,增幅分别为 12.0%、2.9%、3.7%,上游地区的增幅大于中下游地区,表明长江经济带水生态保护修复政策对各区域森林覆盖率的影响有所不同。

从省市层面看,江西、浙江、云南、湖南的均值分别占据长江经济带的前四位,上、下游各占一席,中游地区占两席。此外,长江经济带九省两市的森林覆盖率多数呈现上升趋势,表明水生态保护修复政策对长江经济带各省市森林覆盖率的提升起到了关键性作用。综上可知,无论是从整体区域出发,还是从分区域、省市来看,长江经济带森林覆盖率多数呈现上升趋势,水生态保护修复政策的实施对地区森林覆盖率的提升产生了积极作用。

表 5-9 长江经济带各省市森林覆盖率 单位:%

省市	2016 年	2017 年	2018 年	2019 年	均值
上海	10.70	10.70	14.00	14.04	12.36
江苏	15.80	15.80	15.20	15.20	15.50

续表

省市	2016年	2017年	2018年	2019年	均值
浙江	59.10	59.10	59.40	59.43	59.26
安徽	27.50	27.50	28.60	28.65	28.06
长江下游均值	28.28	28.28	29.30	29.33	28.80
江西	60.00	60.00	61.20	61.16	60.59
湖北	38.40	38.40	39.60	39.61	39.00
湖南	47.80	47.80	49.70	49.69	48.75
长江中游均值	48.73	48.73	50.17	50.15	49.45
重庆	38.40	38.40	43.10	43.11	40.75
四川	35.20	35.20	38.00	38.03	36.61
云南	50.00	50.00	55.00	55.04	52.51
贵州	37.10	37.10	43.80	43.77	40.44
长江上游均值	40.18	40.18	44.98	44.99	42.58
均值	38.18	38.18	40.69	40.70	39.44

注:因数据四舍五入,计算结果有偏差。

(3) 水土流失治理率提升

如表5-10所示,整体而言,2016—2019年长江经济带水土流失治理率呈现增长趋势,其均值从2016年的1.000%增至2019年的1.011%,增幅为1.1%,表明长江经济带水生态保护修复政策的实施提升了长江经济带整体水土流失治理效果,有助于加速水生态保护修复。分区域看,长江上游、中游、下游地区2016年的水土流失治理率均值分别为1.604%、1.293%、0.175%,2019年的水土流失治理率均值分别为1.711%、1.199%、0.170%,变化幅度分别为6.7%、−7.3%、−2.9%。仅上游地区的水土流失治理率变化幅度为正,且呈逐年递增趋势,而中下游地区呈下降趋势,表明长江经济带水生态保护修复政策需更加关注中下游地区的水土流失问题,加强水土流失治理。

从省市层面看,云南、江西、贵州、四川的均值分别占据长江经济带九省两市的前四位,除了江西,其余三省均来自长江经济带上游地区,从侧面印证了上述结论。此外,江苏、安徽、湖北、重庆、四川、云南等地呈增长趋势,其余省市分别出现不同程度的下降。综上可知,长江经济带九省两市的水土流失治理率虽然整体呈上升趋势,但是具体到中下游地区和部分省市,其表现仍不尽如人意,需要进一步加强政策管控,因时因地治理。

表 5-10　长江经济带各省市水土流失治理率　单位:%

省市	2016 年	2017 年	2018 年	2019 年	均值
上海	0.000	0.000	0.000	0.000	0.000
江苏	0.059	0.060	0.060	0.061	0.060
浙江	0.327	0.321	0.310	0.291	0.312
安徽	0.312	0.319	0.321	0.328	0.320
长江下游均值	0.175	0.175	0.173	0.170	0.173
江西	2.395	2.390	2.374	2.064	2.306
湖北	0.700	0.738	0.753	0.766	0.739
湖南	0.785	0.782	0.687	0.765	0.755
长江中游均值	1.293	1.303	1.271	1.199	1.267
重庆	0.435	0.457	0.481	0.486	0.465
四川	1.141	1.131	1.178	1.215	1.166
贵州	2.112	2.140	2.174	2.005	2.108
云南	2.731	2.852	2.987	3.136	2.926
长江上游均值	1.604	1.645	1.705	1.711	1.666
均值	1.000	1.017	1.030	1.011	1.014

注:因数据四舍五入,计算结果有偏差。

(4) 湿地面积未发生变化

2016—2019 年长江经济带整体湿地面积未发生较大变化,其均值始终保持在 1 049.30 千公顷左右。分区域看,上游、中游、下游三个区域中仅上游地区的湿地面积低于整体均值,其余两个地区均高于整体均值。从省市层面看,江苏、四川、湖北、浙江分别占据长江经济带九省两市湿地面积的前四位,其中下游地区占据两位,上游和中游各占一位。综上可知,长江经济带湿地得到了较好的保持,水生态保护修复政策的实施在湿地领域取得了一定成效。

(5) 环保财政支出占比 GDP 持续增加

如表 5-11 所示,2016—2019 年长江经济带环保财政支出占比 GDP 呈现上升的趋势,其均值从 2016 年的 0.61%增长至 2019 年的 0.68%,增幅为 11.5%。分区域看,长江下游、中游地区环保财政支出占比 GDP 均值在 2016 年分别为 0.43%、0.54%,在 2019 年分别为 0.53%、0.67%,增幅较为明显,分别为 23.3%、24.1%。经对比发现,长江下游、中游地区的环保财政支出占比 GDP 呈增长趋势。上游地区环保财政支出占比 GDP 均值则从 2016 年的

0.84%降至2019年的0.83%，降幅为1.2%，长江经济带上游地区环保财政支出占比GDP呈逐渐下降态势，表明与长江经济带下游、中游地区相比，长江经济带上游地区的政策支撑效果仍有待加强。

从省市层面看，2016—2019年，长江经济带各省市环保财政支出占比GDP多数呈现上升态势。浙江、安徽、江西、湖北、湖南、四川、贵州均出现显著增长，增幅分别为26.5%、52.7%、21.9%、37.8%、13.0%、11.8%、3.7%；重庆、云南的环保财政支出占比GDP分别从2016年的0.77%、1.02%降至2019年的0.73%、0.88%，降幅分别为5.2%、13.7%。综上可知，长江经济带环保财政支出占比GDP在长江经济带不同地区表现出不同的趋势，其中，政策对中下游地区所起到的支撑作用较强，对上游地区则需要进一步加强。

表5-11　长江经济带各省市环保财政支出占比GDP　　单位：%

省市	2016年	2017年	2018年	2019年	均值
上海	0.48	0.75	0.71	0.48	0.60
江苏	0.37	0.34	0.34	0.37	0.36
浙江	0.34	0.37	0.35	0.43	0.37
安徽	0.55	0.72	0.70	0.84	0.70
长江下游均值	0.43	0.54	0.53	0.53	0.51
江西	0.64	0.69	0.74	0.78	0.71
湖北	0.45	0.38	0.54	0.62	0.50
湖南	0.54	0.50	0.52	0.61	0.54
长江中游均值	0.54	0.52	0.60	0.67	0.58
重庆	0.77	0.79	0.79	0.73	0.77
四川	0.51	0.53	0.56	0.57	0.54
贵州	1.08	0.93	0.91	1.12	1.01
云南	1.02	1.09	0.95	0.88	0.98
长江上游均值	0.84	0.84	0.80	0.83	0.83
均值	0.61	0.64	0.65	0.68	0.64

注：因数据四舍五入，计算结果有偏差。

5.3 存在的问题

尽管水生态环境保护取得了显著成效，但对标2035年美丽中国建设目标，仍然存在不少突出问题和短板。

一是水环境治理任务艰巨。一些地方发展方式比较粗放，城市建成区、工业园区以及港口码头等环境基础设施欠账较多；一些地方入河排污口底数不清，管理不规范，违法排污现象时有发生；一些地方氮磷变为首要污染物，城乡面源污染防治瓶颈亟待突破。二是水生态破坏问题比较普遍。一些河湖水域及其缓冲带水生植被退化，水生态系统严重失衡；一些地方水资源过度开发，生态用水难以保障，河湖断流干涸现象比较普遍。三是水环境风险不容忽视。水污染对水生态的影响是不言而喻的，但涉水方面的工作依然集中在水环境治理方面，水生态系统保护修复工作明显滞后。控制污染，当务之急是落实《水污染防治法》第二十条和第二十一条。新修订的《水污染防治法》第二十条重申了"国家对重点水污染物排放实施总量控制制度"，并在第二十一条中的排污许可管理要件中增加了"排放水污染物的总量"控制内容，但这一制度没有完全落地。河流污染治理的目标是改善河湖水质，必须控制"入河污染物总量"。然而一些地方高环境风险工业企业密集分布，与饮用水水源犬牙交错，由企业生产事故引发的突发环境事件数量居高不下。一些地方河湖底泥污染较重，存在环境隐患。

5.3.1 水土气环境总体改善，局部水环境问题依然突出

一是长江经济带内各省市水土气环境总体得到改善，但局部水环境问题、部分城市空气质量问题、部分区域土壤环境问题较为突出。如表5-12所示，2019年长江流域监测的509个水质断面中，Ⅰ～Ⅲ类水质断面占91.7%，比2018年上升4.2个百分点；劣Ⅴ类占0.6%，比2018年下降1.2个百分点。长江经济带各省市地表水水质达标率也存在较大差异，如湖南、贵州、江西、浙江、湖北、四川的Ⅰ～Ⅲ类水比例均在90%以上，重庆、云南分别为88.6%和84.5%，江苏、安徽为77.9%和72.8%，上海比例最低，仅为48.3%。化学需氧量、氨氮、总氮、总磷等污染物排放量占全国排放总量比重超过40%；乌江、岷江、螳螂川、南淝河等支流，以及太湖、巢湖等主要湖泊主要污染物超标和富营养化严重，局部水环境污染严重，近岸海域污染物超标，江苏近岸海域水质良好，而上海和浙江近岸海域水质极差。

二是大气污染排放负荷大，东中部空气质量相对较差。长江经济带以21%的土地承载了全国30%的石化产业、40%的水泥产业，大气污染排放量大。2019年长江经济带二氧化硫、氮氧化物、烟尘粉尘的排放量分别为321.96万吨、441.01万吨、227.49万吨，分别占全国排放量的36.78%、35.03%、28.57%。如表5-13所示，从2019年长江经济带各省市工业污染状况看，江西、贵州、安徽的二氧化硫污染物排放浓度较高，江西的排放浓度高于全国平均水平；上海、重庆、江苏、浙江、安徽等的二氧化氮排放浓度较高，这也导致PM_{10}、$PM_{2.5}$较高；一氧化碳排放浓度较高的是江西、湖北、湖南、安徽、重庆等省市；江苏、安徽、湖北、重庆的臭氧排放浓度较高。云南、贵州、四川、江西等的主要污染物排放情况总体好于其他省市，这也集中表现在各省市的空气质量优良率上，如云南、贵州空气质量优良率均高达98%左右，遥遥领先于其他省市，江西、四川、浙江、重庆的空气质量优良率也在85%以上，江苏、安徽、湖北、湖南、上海的空气质量优良率相对较低。

表5-12　2019年长江流域水质状况

水体	断面数(个)	比例(%)					
		Ⅰ类	Ⅱ类	Ⅲ类	Ⅳ类	Ⅴ类	劣Ⅴ类
流域	509	3.3	67.0	21.4	6.7	1.0	0.6
干流	59	6.8	91.5	1.7	0.0	0.0	0.0
主要支流	450	2.9	63.8	24.0	7.6	1.1	0.7
省界断面	60	3.3	81.7	13.3	1.7	0.0	0.0
水体	断面数(个)	与2018年相比的变化(百分点)					
		Ⅰ类	Ⅱ类	Ⅲ类	Ⅳ类	Ⅴ类	劣Ⅴ类
流域	509	−2.4	12.3	−5.7	−2.3	−0.8	−1.2
干流	59	0.0	13.5	−13.6	0.0	0.0	0.0
主要支流	450	−2.6	12.1	−4.6	−2.6	−0.9	−1.3
省界断面	60	−8.4	11.7	0.0	−3.3	0.0	0.0

资料来源：《2019中国生态环境状况公报》。

表5-13　2019年长江经济带各省市工业污染状况

省市	二氧化硫(微克/米^3)	二氧化氮(微克/米^3)	PM_{10}(微克/米^3)	$PM_{2.5}$(微克/米^3)	一氧化碳(微克/米^3)	臭氧(微克/米^3)	降水pH年均值
上海	7.2	42	45	35	0.66	151	5.34
江苏	9	34	70	43	1.2	173	5.49

续表

省市	二氧化硫（微克/米^3）	二氧化氮（微克/米^3）	PM_{10}（微克/米^3）	$PM_{2.5}$（微克/米^3）	一氧化碳（微克/米^3）	臭氧（微克/米^3）	降水 pH 年均值
浙江	7	31	53	31	1.0	154	5.13
安徽	10	31	72	46	1.2	165	5.79
江西	13	24	24	35	1.4	151	5.12
湖北	9	26	70	42	1.4	158	6.81
湖南	9	25	61	41	1.4	148	5.03
重庆	7	40	60	38	1.2	157	5.82
四川	9.4	27.8	52.9	34.4	1.1	134	5.97
云南	9	16	38	22	1.0	127	6.34
贵州	10	18	38	24	1.0	118	6.40～7.89
全国	11	27	63	36	1.4	148	4.22～8.56

资料来源：2019 年各省市生态环境状况公报。

注：①贵州、全国仅发布降水 pH 年均值范围。

②表中“全国”数据未包括香港特别行政区、澳门特别行政区和台湾地区。

三是固废污染处置相对不足，土壤重金属污染不容忽视。长江经济带是钢铁、电力、化工等行业工业企业集聚区，也是有色金属、非金属矿物等的富集区和有色金属和非金属矿物行业的主要集聚区，燃煤、矿产开采、冶炼等产生大量矿渣、粉煤灰、炉渣等工业固废。就 2019 年而言，长江经济带一般工业固体废物产生量为 9.37 亿吨，占全国总量的 28.26%；生活垃圾产生量为 9 153.4 万吨，占全国的 40.14%，总体上长江经济带固废产生量大面广。长江经济带固体废物非法倾倒、处置或堆存，跨区域转移各种固废的环境违法问题严重，直接导致长江漂浮垃圾成灾和水质恶化，工业固废随意堆置还会造成区域土壤污染严重。江西、湖南、浙江、重庆等地酸雨严重，造成土壤酸化、板结等问题。工业企业产生大量含重金属的污染物，加之化肥农药的大量使用，导致局部土壤受重金属污染程度加重。

5.3.2 资源利用效率不断提升，利用水平区域差异较大

随着工业化、城镇化进程加快和消费结构升级，长江经济带能源需求刚性增长，节能降耗和提升资源利用效率成为推动长江经济带经济社会发展的关键之一。如表 5-14 所示，2019 年，长江经济带单位 GDP 能耗继续下降，各省市单位 GDP 用电量均保持下降状态，下降幅度最大的为上海、重庆、贵州、江苏

等省市。从各省市单位 GDP 用电量看，上海、湖南、湖北、重庆的单位 GDP 用电量最低，能耗控制水平相对较好。从水资源利用效率看，上海、浙江、重庆的单位 GDP 用水量最低，约为 30 米^3/万元，而江西、湖南、安徽、云南等省市的单位 GDP 用水量较高。

表 5-14　2019 年长江经济带各省市单位 GDP 能耗情况

省市	单位 GDP 用电量（千瓦·时/万元）	单位 GDP 用电量变化幅度（%）	单位 GDP 用水量（米^3/万元）
上海	411.10	−5.50	27.10
江苏	628.75	−4.37	59.42
浙江	754.79	−3.42	27.87
安徽	619.90	−1.25	77.01
江西	620.30	−1.38	101.30
湖北	483.17	−1.98	64.79
湖南	468.99	−2.37	84.78
重庆	491.49	−5.16	32.70
四川	565.44	−1.37	55.58
贵州	918.75	−4.83	63.69
云南	780.25	−2.97	67.04

资料来源：国家统计局数据库。

5.3.3　水土流失严重，空间差异较大

2020 年长江经济带土地总面积 206.09 万平方公里，水土流失面积 38.90 万平方公里，占土地总面积 18.88%，水土流失状况严峻。其中，水力侵蚀面积 38.55 万平方公里，占水土流失总面积 99.10%；风力侵蚀面积 0.35 万平方公里，占水土流失总面积 0.90%。与 2018 年相比，长江经济带水土流失面积减少 1.20 万平方公里，减幅为 2.99%。四川、云南、贵州、湖北、湖南、重庆、江西等 7 个省市的水土流失面积超过 2 万平方公里。根据水利部 2020 年全国水土流失动态监测成果可知，长江流域水土流失面积约 33.70 万平方公里，占流域土地总面积的 18.81%。其中，水力侵蚀面积 32.19 万平方公里，占水土流失总面积 95.51%，主要分布在金沙江下游、岷江和沱江中下游、嘉陵江中下游、乌江和赤水河上中游以及三峡库区等区域；风力侵蚀面积 1.51 万平方公里，占水土流失总面积 4.49%，主要分布在金沙江上游。与 2018 年相比，2020 年长江流域水土流失面积减少 0.97 万平方公里，减幅为 2.80%。表 5-15 与

表 5-15　2020 年长江经济带各省市水土流失情况

省（直辖市）	土地总面积（平方公里）	水土流失类型	水土流失面积											占土地总面积（%）
			小计（平方公里）	轻度		中度		强烈		极强烈		剧烈		
				面积（平方公里）	比例（%）	面积（平方公里）	比例（%）	面积（平方公里）	比例（%）	面积（平方公里）	比例（%）	面积（平方公里）	比例（%）	
合计	2 060 875	小计	389 009	286 204	73.57	50 103	12.88	28 436	7.31	17 514	4.50	6 752	1.74	18.88
		水蚀	385 463	282 664	73.33	50 101	13.00	28 434	7.38	17 513	4.54	6 751	1.75	18.70
		风蚀	3 545	3 540.5	99.86	3	0.07	2	0.07	0	0	0	0	0.18
上海	6 340	水蚀	3	3	100.00	0	0	0	0	0	0	0	0	0.05
江苏	102 378	水蚀	2 230	1 955	87.67	216	9.69	44	1.97	12	0.54	3	0.13	2.18
浙江	103 617	水蚀	7 374	6 542	88.73	501	6.79	226	3.06	80	1.08	25	0.34	7.12
安徽	139 615	水蚀	12 039	10 632	88.31	784	6.51	372	3.09	178	1.48	73	0.61	8.62
江西	167 064	水蚀	23 614	21 811	92.36	1 178	4.99	426	1.80	167	0.71	32	0.14	14.13
湖北	185 750	水蚀	31 640	24 669	77.97	3 926	12.41	1 906	6.02	963	3.04	176	0.56	17.03
湖南	211 833	水蚀	29 842	25 326	84.87	2 589	8.68	1 159	3.88	675	2.26	93	0.31	14.09
重庆	82 370	水蚀	25 142	18 866	75.05	3 611	14.36	2 082	8.28	519	2.06	64	0.25	30.52
四川	491 718	小计	109 501	78 458	71.65	15 450	14.11	8 551	7.81	5 312	4.85	1 730	1.58	22.27
		水蚀	105 956	74 918	70.71	15 448	14.58	8 548	8.07	5 312	5.01	1 730	1.63	21.55
		风蚀	3 545	3 540	99.86	3	0.07	2	0.07	0	0	0	0	0.72
云南	394 029	水蚀	100 616	67 114	66.7	14 197	14.11	8 886	8.83	6 539	6.50	3 880	3.86	25.54
贵州	176 161	水蚀	47 008	30 827	65.57	7 652	16.28	4 785	10.18	3 069	6.53	675	1.44	26.68

注：① 长江经济带范围根据 2016 年国务院印发的《长江经济带发展规划纲要》确定。

② 因数据四舍五入，计算结果有偏差。

表 5-16 为 2020 年长江经济带各省市水土流失情况[数据来源于《长江流域水土保持公告(2020)》]。受经济发展水平、地形地势、气候条件等因素的影响,长江经济带的水土流失严重程度呈现出由东向西递增的空间态势。其中,西南四省市(重庆、四川、云南、贵州)的水土流失面积所占比例均大于 20%,重庆市的水土流失比例甚至超过 30%,西南地区是长江经济带水土流失最为严重的地区。江浙沪地区的水土流失面积占比小于 10%,是长江经济带水土流失程度最轻的地区。

表 5-16　2020 年长江经济带各省市水土流失变化情况　单位:平方公里

年度	水土流失面积	轻度	中度	强烈	极强烈	剧烈
2020 年	389 009	286 204	50 103	28 436	17 514	6 752
2018 年	400 973	278 906	54 298	30 726	24 703	12 340
变化情况	−11 964	7 298	−4 195	−2 290	−7 189	−5 588

5.3.4　长江"生态用水"问题亟须关注

长江是我国第一大河,支流众多,河湖密布。同时,长江经济带内各省市人口分布密集,水资源用量需求大且逐步增加,如何合理分配、利用长江水资源一直是社会各界持续关注的重点问题。长江水资源丰富,占据全国的三分之一;但同时,长江流域每年接纳的废水量也占全国的三分之一。随着经济发展步伐的加速和长江沿线对水资源的不断索取和过度开采,长江水资源的承载能力进一步下降,低于临界点时便会对长江的水生态系统产生较大的压力,对水生态系统的稳定性造成一定的不利影响。生态用水被过度挤占,对于支流广布、河湖众多的长江而言,会进一步加剧长江的水污染问题,造成部分支流水质下降;进一步加剧部分湖库的富营养化问题,造成湖泊面积萎缩;进一步挤占水生生物的生存空间,导致长江水生生物多样性指数持续下降,多种珍稀物种濒临灭绝。因此,我们仍需持续关注长江的生态用水问题,对长江流域各种生态用水保持合理的认识态度,做到合理开发与持续保护同时推进,不断促进长江水生态环境改善,提高长江水环境质量。

5.3.5　水生态功能退化,系统性保护不足

当前,长江流域的局部水环境形势仍不容乐观,生态用水被大量挤占、水资源利用效率低下、浪费严重等问题的存在,对于改善长江水生态、促进水环境质量提高而言仍是一大障碍。长江流域分布有鱼类 400 余种(亚种),其中仅

分布于长江流域的特有物种多达156种(约占长江鱼类物种总数的39%)。特有鱼类的分布与当地特有的生境条件密不可分,如水文情势、地形地貌、河湖水系连通、适宜生物生存的水体物理化学特性、食物网结构等。经调查发现,过去数十年,人类活动对长江流域河湖生态系统造成了严重的干扰破坏,特有物种的适宜生境急剧萎缩,长江渔业资源数量、组成结构、种群生态参数等发生了一系列变化,水生生物多样性显著降低,珍稀特有物种全面衰退,长江白鲟于2022年7月被正式宣布灭绝,白鱀豚已功能性灭绝,中华鲟、江豚等极度濒危。长江流域水生态系统遭到破坏、生物多样性下降、水生态功能退化的问题得到业界普遍认可。目前,长江经济带开发中的水生态保护工作虽取得初步成效,但面临的问题仍十分严峻,其中长江的水生态系统功能退化更是需要重点聚焦的问题。

其原因主要包含以下几个方面:①大坝阻隔改变了鱼类生境条件,部分鱼类洄游通道受到影响;②水库淹没和运行导致库区、坝下水文过程变化,高坝导致的低温水下泄等改变了水生生物的适宜生境,鱼类资源产卵繁殖条件受到影响,水生态系统功能受损;③对水资源的掠夺性开发导致河流流量减少甚至出现季节性断流,河道内生态用水不足,给水生生物带来灭顶之灾;④工程长期运行后河势变化、库区富营养化等改变了许多珍稀特有生物的适宜生境。长江流域地区湖泊、湿地数量众多,作为水生生态系统的重要组成部分,湖泊和湿地在调节长江径流、维持水生生物多样性、保持水土等方面都发挥着积极的作用。但据报道,近年来,长江流域局部江段水体污染严重,69%的湖泊处于富营养化状态;湖泊退化,湖区水安全保障能力降低;长江渔业资源严重枯竭,珍稀物种生存面临严峻挑战等问题仍层出不穷。此外,长期以来,由于不合理开发,湖区大规模围湖造田、围湖养鱼、过度捕捞、非法猎鸟、污染排放等活动,导致湿地生态状况进一步恶化。湖泊湿地功能的退化,易造成江湖关系进一步紧张、水生态安全和水生生物多样性面临威胁等不良后果,如果不能妥善解决好这一问题,势必会对长江流域水生态系统的完整性造成不利影响,不利于长江水环境质量的持续提高和水生态环境的持续改善,也不利于实现长江流域经济效益与生态效益的双赢。

此外,针对长江流域水生态问题,国家主管部门和水利水电工程建设单位均采取了对应的保护方案,然而这些保护方案均是从履行各行业、单个工程的环境保护责任的角度出发,缺乏系统性和整体性。

5.3.6　长江“江湖关系”重要性凸显

江湖关系主要包括水量、能量、泥沙、污染物质在江湖间的交换和水生生物在江湖间的游动等。洞庭湖、鄱阳湖是长江中下游两大通江湖泊，长江干流通过荆江南岸四口[松滋口、太平口、藕池口、调弦口（1958 年封堵）]分流分沙进入洞庭湖；长江对洞庭湖、鄱阳湖出流有明显的顶托作用，间或倒灌入鄱阳湖；洞庭湖、鄱阳湖出流又对长江干流水位有一定壅高。长江与洞庭湖、鄱阳湖相互作用和相互影响的关系被简称为江湖关系（即长江与湖泊的关系）。江湖关系是长江大保护中最重要的关系之一，且随着生态文明观的推广，这种关系的重要性会越来越凸显。位于湖南省的洞庭湖和位于江西省的鄱阳湖在长江乃至全球生态系统和生物多样性等方面均具有重要地位和独立价值，与长江干支流之间存在着重要的互补关系。但近年来，长江上游梯级水库的运行对两湖及其他湖泊产生了一定的影响。江湖关系的演变受长江上游水沙过程、长江干流的冲淤变化、两湖的水沙过程、湖泊的淤积围垦等综合影响，江湖关系演变又影响到长江干流堤防安全与河势稳定、湖泊湿地生态系统、滨湖区水资源开发利用等。江湖关系失衡是长江大保护面临的最重要、最复杂问题之一。以此两湖为例，上游梯级水库的运行以至于入湖泥沙总量减少、洪水期拦洪削峰、枯水期提前至 9—10 月、冬春季节湖水水位上升等后果。这些后果有利有弊，具体来说，入湖泥沙量减少，有利于延长两湖的使用寿命；洪水期拦洪削峰，有利于减少两湖防洪压力；冬春季节水位抬升，有利于两湖地区人民的生产生活；而枯水期提前、湖面缩小，则不利于鱼类、鸟类的生存。

此外，江湖关系的重要性还体现在对长江渔业资源和两湖留鸟、候鸟的影响。洞庭湖、鄱阳湖均是江湖洄游鱼类育肥的场所，从某种意义上来说，还是长江特有珍稀鱼类最后的避难所。对于某些水生生物来说，江湖连通性的提高有助于扩大其生存空间，但长江三峡工程生态环境监测系统鱼类、鸟类监测重点站连续 20 余年的监测结果表明，两湖水情变化以及与长江连通性的变化对江湖洄游鱼类和鸟类产生了一定的影响，但目前的数据和研究不足以得出更确切的结论，仍需继续加强监测和研究。

5.3.7　长江“生态调度”问题需进一步深化

通过近年来的实践我们可以看到，在生态调度问题方面，长江流域作出了一定的积极探索，如：长江委在 2018 年开展的两次促进四大家鱼繁殖的三峡水库生态调度试验、溪洛渡水库分层取水生态调度试验和通过南水北调中线一期工程实现鱼类增殖放流等；水利部在福建召开生态调度试点会，明确以保证水库下游生态基流为目标的调度。但关于“生态调度”这一概念的确切定义，目前仍没有统一的答案，且其理论和实践基础都较为薄弱。有专家提议，目前长江流域，特别是三峡工程的修建运行要始终围绕生态调度这一条主线，生态调度要以水文、生态环境这两项预测预报为基础，贯穿于防洪、发电和航运三项重点任务之中，全年都要精心组织并实施生态调度，由此可见，生态调度对于促进长江水生态环境的保护与修复而言，发挥着关键的作用。

对于当前长江流域的生态调度，应在持续关注的基础上组织多学科力量开展联合攻关，完善理念，丰富实践，进而制定长江生态调度的目标、标准、规程，将生态调度发展成为长江水生态保护与修复的一把利器，从而不断促进长江水生态保护与修复工作有序推进，为其他重要河流生态修复提供范例。

5.3.8 流域管理体制机制不完善

经过多年的探索实践，长江流域综合管理体系初步形成，涉水管理法律法规体系逐步完善，初步建立了流域管理与行政区域管理相结合的管理体制。但水资源保护相关的法律法规较为分散，在涉及具体的综合事务处理上可操作性较差，交通、环保、农业、林业、旅游等相关部门均参与管理，不同单位和部门之间管理目标和职能缺乏协调，现有管理常出现“各管一段”“各管一片”的困境，甚至有无人管理的真空地带，流域管理的统一性和整体性严重缺乏。具体表现：作为长江流域最具影响力的管理机构，长江委没有综合管理的法律地位，其他相关部委在长江流域设置的分支机构延续着单一要素管理的思路。涉及流域具体管理事务时，各机构之间存在管理职能交叉。长江委主要以水资源管理和水行政为中心，协调各种工程和非工程措施开展水利及防洪工作，但无力协调综合性社会经济管理事务，特别是在区域协调方面难有作为。从地方角度看，长江沿岸地区备受当地政府重视，地区之间的基础设施建设和产业发展缺乏统筹与协调，产生诸多流域性生态环境问题，造成地区之间纠纷不断。

自 2016 年 1 月 5 日习近平总书记在重庆提出“共抓大保护、不搞大开发”之后，长江经济带生态保护被提到前所未有的高度，国家相关部委、经济带内 11 个省市积极响应并行动，部委协商、省际协议等开展了各类合作，但距离彻底改变还有一个过程。长江流域管理机制是单一部门、单一要素管理方式，条块分割和交叉较严重，区域与部门之间尚未建立有效的协调机制。另外，因管理手段不健全、监测体系不完备、缺乏统一有效的监督管理等问题，导致管理体制机制仍有诸多薄弱环节。这种管理体制在环境与流域发展综合性事务上矛盾突出。

06

第六章

长江经济带产业绿色发展政策实施效果评价

6.1 评价指标体系构建

绿色发展理念是全体人民在发展问题上的“最大公约数”之一。长江经济带产业结构偏“重”，长江沿线密布着钢铁、有色金属、化工等项目，在全国乃至世界都占有重要地位，部分重化工产品产量庞大。随着资源环境压力的不断加大，加快实现产业绿色转型，不仅有利于保护长江生态环境实现可持续发展，而且对示范引领全国生态文明建设具有重要意义。长江经济带倡导绿色、可持续，其本质仍是强调将长江经济社会发展建立在充分尊重生态环境容量和资源承载力的刚性约束基础上。产业绿色发展是长江水环境保护的经济支柱，因此长江经济带产业绿色发展状况是评价产业绿色发展政策实施效果的重要依据。基于此，本章节对长江经济带产业绿色发展政策实施效果的评价将从产业绿色增长潜力、产业转型潜力两个维度展开。产业绿色增长潜力指标分别为工业产值比重、第三产业比重、人均可支配收入、科技经费支出占比地区生产总值、高新技术产业总产值等；产业转型潜力由 5 个指标构成，分别为工业固体废弃物排放量、工业废水排放量、工业二氧化硫排放量、工业烟(粉)尘排放量、城市绿化率，如表 6-1 所示（本章表格数据来源于国家统计局官网）。

表 6-1　长江经济带产业绿色发展政策实施效果评价指标体系

一级指标	二级指标	三级指标
长江经济带产业绿色发展政策实施效果	产业绿色增长潜力	工业产值比重(+)
		第三产业比重(+)
		人均可支配收入(+)
		科技经费支出占比地区生产总值(+)
		高新技术产业总产值(+)
	产业转型潜力	城市绿化率(+)
		工业废水排放量(−)
		工业二氧化硫排放量(−)
		工业烟(粉)尘排放量(−)
		工业固体废弃物排放量(−)

6.2 评价结果分析

通过熵值法测算长江经济带产业绿色发展政策的实施效果评价指标水平，如表6-2所示。整体而言，2016—2019年长江经济带产业绿色发展政策的实施效果评价指标水平呈现上升趋势，其均值从2016年的0.442上升至2019年的0.479，增幅为8.4%，表明长江经济带产业绿色发展政策的实施效果显著。分区域看，长江上游、中游、下游地区2016年的均值分别为0.332、0.399、0.584，2019年的均值分别为0.359、0.450、0.620，增幅分别为8.1%、12.8%、6.2%，中游地区的增幅大于上游和下游地区，表明随着新发展理念的推进，国家开始逐渐将"绿色"纳入发展，尤其是经济较为发达的长江经济带地区如何实现绿色发展成为国家较为关切的问题，长江经济带产业绿色发展政策的实施虽取得长足进步，但政策的实施效果在不同区域有所不同，需要国家进一步宏观把控，做好区域产业绿色协调发展。

从省市层面看，上海、江苏、浙江、安徽分别占据长江经济带九省两市的前四位，且均来自下游地区。此外，长江经济带九省两市的产业绿色发展政策的实施效果评价指标水平绝大多数呈现上升趋势，其中浙江、江西、云南、湖北等地的产业绿色发展政策实施效果评价指标水平提升幅度较为明显，表明长江经济带产业绿色发展政策的实施对长江经济带各省市产业绿色发展均起到了支撑作用。综上可知，长江经济带产业绿色发展政策的实施效果在2016—2019年呈现增强的趋势，但作用效果在不同区域、不同省市存在一定差异。

表6-2　长江经济带各省市产业绿色发展政策实施效果评价指标水平

省市	2016年	2017年	2018年	2019年	均值
上海	0.695	0.727	0.723	0.725	0.718
江苏	0.597	0.613	0.625	0.619	0.613
浙江	0.560	0.576	0.612	0.634	0.596
安徽	0.484	0.478	0.489	0.501	0.488
长江下游均值	0.584	0.599	0.612	0.620	0.604
江西	0.403	0.447	0.472	0.479	0.450
湖北	0.414	0.444	0.471	0.466	0.449
湖南	0.380	0.407	0.433	0.406	0.407

续表

省市	2016年	2017年	2018年	2019年	均值
长江中游均值	0.399	0.433	0.459	0.450	0.435
重庆	0.437	0.444	0.468	0.470	0.455
四川	0.334	0.341	0.365	0.349	0.347
贵州	0.310	0.316	0.349	0.340	0.329
云南	0.247	0.267	0.270	0.279	0.266
长江上游均值	0.332	0.342	0.363	0.359	0.349
均值	0.442	0.460	0.480	0.479	0.465

注：因数据四舍五入，计算结果有偏差。

6.2.1 产业绿色增长潜力

（1）产业绿色增长潜力不断增强

运用熵值法测算长江经济带产业绿色增长潜力评价指标水平，如表6-3所示。整体而言，2016—2019年长江经济带产业绿色增长潜力评价指标水平呈现上升趋势，其均值从2016年的0.440上升至2019年的0.472，增幅为7.3%，表明长江经济带产业绿色发展政策的实施效果显著，推动了长江经济带产业绿色增长潜力提升。分区域看，长江上游、中游、下游地区2016年的均值分别为0.331、0.390、0.587，2019年的均值分别为0.346、0.435、0.626，增幅分别为4.5%、11.5%、6.6%，中游地区的增幅大于上下游地区，表明长江经济带产业绿色发展政策的实施推动了长江经济带产业绿色增长潜力的提升，但也需同时考虑长江经济带产业绿色增长潜力的均衡性。三大区域中上游地区的产业绿色增长潜力较弱，虽然也在稳步提升，但其发展水平仍待加强，这就需要国家在实施产业绿色发展政策时进行宏观把控，做好区域产业绿色发展协调发展工作，充分释放长江经济带产业绿色增长潜力。

从省市层面看，上海、江苏、浙江、安徽的均值分别占据长江经济带九省两市的前四位，且均来自下游地区。此外，长江经济带九省两市产业绿色增长潜力多数呈现上升趋势，其中浙江、江西、云南、湖北等地的产业绿色增长潜力提升幅度较为明显，表明长江经济带产业绿色发展政策实施对长江经济带各省市产业绿色增长潜力均起到了支撑作用。综上可知，长江经济带的产业绿色增长潜力在2016—2019年呈现上升趋势，长江中游地区增幅大于上下游地区，多数省市亦呈现上升趋势，表明产业绿色发展政策对长江经济带产业绿色增长潜力所起的带动作用较强。

表 6-3　长江经济带各省市产业绿色增长潜力评价指标水平

省市	2016 年	2017 年	2018 年	2019 年	均值
上海	0.728	0.759	0.778	0.776	0.760
江苏	0.586	0.603	0.615	0.606	0.602
浙江	0.562	0.585	0.617	0.638	0.600
安徽	0.473	0.463	0.472	0.483	0.473
长江下游均值	0.587	0.602	0.620	0.626	0.609
江西	0.369	0.404	0.425	0.436	0.408
湖北	0.431	0.457	0.487	0.477	0.463
湖南	0.369	0.394	0.422	0.392	0.394
长江中游均值	0.390	0.418	0.445	0.435	0.422
重庆	0.429	0.441	0.466	0.457	0.448
四川	0.325	0.331	0.353	0.325	0.334
贵州	0.324	0.329	0.351	0.335	0.335
云南	0.247	0.260	0.256	0.266	0.257
长江上游均值	0.331	0.340	0.357	0.346	0.344
均值	0.440	0.457	0.476	0.472	0.461

注：因数据四舍五入，计算结果有偏差。

(2) 工业产值比重整体下降

如表 6-4 所示，整体而言，2016—2019 年长江经济带工业产值比重呈现逐年下降趋势，其均值从 2016 年的 35.14%降至 2019 年的 30.74%，降幅为 12.5%，表明产业绿色发展政策对长江经济带工业产值比重的抑制作用显著。分区域看，长江上游、中游、下游地区 2016 年的均值分别为 31.57%、37.78%、36.73%，2019 年的均值分别为 26.70%、33.53%、32.70%，降幅分别为 15.4%、11.2%、11.0%，其中上游地区的工业产值比重下降幅度最大，表明长江经济带产业绿色发展政策对三大区域的工业产值比重具有一定的抑制作用。从省市层面看，江苏、浙江、安徽、江西等为高工业产值比重省份，且多数呈现工业产值比重下降的趋势。综上可知，长江经济带产业绿色发展政策的实施对长江经济带工业产值比重的抑制作用显著，但区域间仍存在一定差异。

表 6-4　长江经济带各省市工业产值比重　单位:%

省市	2016 年	2017 年	2018 年	2019 年	均值
上海	26.81	27.85	27.64	25.35	26.91
江苏	39.35	39.60	38.79	37.97	38.93
浙江	39.48	37.62	37.65	36.63	37.84
安徽	41.29	39.67	37.28	30.86	37.27
长江下游均值	36.73	36.18	35.34	32.70	35.24
江西	39.02	37.42	38.11	36.21	37.69
湖北	38.38	35.76	37.02	35.10	36.57
湖南	35.93	34.34	32.27	29.26	32.95
长江中游均值	37.78	35.84	35.80	33.53	35.74
重庆	34.86	33.78	32.52	28.20	32.34
四川	33.58	31.30	30.66	28.67	31.05
贵州	31.55	31.46	29.74	27.11	29.97
云南	26.31	24.74	26.26	22.83	25.03
长江上游均值	31.57	30.32	29.79	26.70	29.60
均值	35.14	33.96	33.45	30.74	33.32

注:因数据四舍五入,计算结果有偏差。

(3) 第三产业比重持续上升

如表 6-5 所示,整体而言,2016—2019 年长江经济带第三产业比重呈现上升趋势,其均值从 2016 年的 48.26% 上升至 2019 年的 53.47%,增幅为 10.8%,表明产业绿色发展政策对长江经济带第三产业比重提升作用显著。分区域看,长江上游、中游、下游地区 2016 年的均值分别为 46.68%、44.09%、52.95%,2019 年的均值分别为 52.14%、50.25%、57.21%,增幅分别为 11.7%、14.0%、8.0%。长江经济带三大区域第三产业比重均呈现显著上升的趋势,表明长江经济带产业绿色发展政策推动各区域第三产业不断发展,有助于促进区域产业绿色增长。从省市层面看,多数省市第三产业比重呈上升趋势,上海、江苏、浙江、四川、重庆等地的第三产业比重持续增长,是长江经济带最具代表性的地区。由此可知,长江经济带产业绿色发展政策的实施带动了经济带整体、分区域和各省市第三产业比重的提升,进而促进地区经济、产业绿色增长。

表 6-5　长江经济带各省市第三产业比重　　单位：%

省市	2016 年	2017 年	2018 年	2019 年	均值
上海	69.78	68.97	69.90	72.74	70.35
江苏	50.00	50.25	50.98	51.25	50.62
浙江	50.99	52.70	54.67	54.03	53.10
安徽	41.05	41.50	45.08	50.82	44.61
长江下游均值	52.95	53.36	55.16	57.21	54.67
江西	41.97	42.71	44.84	47.50	44.26
湖北	43.94	45.19	47.58	50.01	46.68
湖南	46.37	48.44	51.86	53.23	49.97
长江中游均值	44.09	45.45	48.09	50.25	46.97
重庆	48.13	49.05	52.33	53.20	50.68
四川	47.23	49.77	51.45	52.44	50.22
贵州	44.67	44.90	46.54	50.27	46.60
云南	46.68	47.38	47.12	52.64	48.45
长江上游均值	46.68	47.77	49.36	52.14	48.99
均值	48.26	49.17	51.12	53.47	50.50

注：因数据四舍五入，计算结果有偏差。

（4）人均可支配收入大幅提升

如表 6-6 所示，2016—2019 年长江经济带人均可支配收入整体呈上升趋势，其均值由 2016 年的 25 327.0 元上升至 2019 年的 33 229.1 元，增幅为 31.2%，表明长江经济带产业绿色发展政策推动长江经济带人均可支配收入不断增长。分区域看，长江上游、中游和下游 2016 年的均值分别为 18 052.2 元、20 882.6 元和 35 935.1 元，2019 年的均值分别为 24 025.8 元、27 420.5 元和 46 788.8 元，增幅分别为 33.1%、31.3%、30.2%，三大区域的人均可支配收入均呈显著上升趋势，表明长江经济带产业绿色发展政策的实施提高了不同区域的人均可支配收入水平，上游地区的提升幅度较大，下游地区的人均可支配收入依然占长江经济带的一半以上。从省市层面看，近年来长江经济带上游地区经济发展活力不断提升，加上受到国家西部大开发战略的影响，多数省市人均可支配收入呈增长趋势，诸如贵州、云南等上游地区省市的人均可支配收入水平增幅较为明显，表明产业绿色发展政策可带动经济带内各省市人均可支配收入水平的提升，进而加速产业绿色增长。

表 6-6　长江经济带各省市人均可支配收入　　单位:元

省市	2016 年	2017 年	2018 年	2019 年	均值
上海	53 793.3	58 988.0	64 182.7	69 441.6	61 601.4
江苏	31 952.4	35 024.1	38 095.8	41 399.7	36 618.0
浙江	38 251.5	42 045.7	45 839.8	49 898.8	44 009.0
安徽	19 743.0	21 863.3	23 983.6	26 415.1	23 001.2
长江下游均值	35 935.1	39 480.3	43 025.5	46 788.8	41 307.4
江西	19 983.2	22 031.5	24 079.7	26 262.5	23 089.2
湖北	21 699.8	23 757.2	25 814.5	28 319.5	24 897.7
湖南	20 964.7	23 102.7	25 240.8	27 679.7	24 247.0
长江中游均值	20 882.6	22 963.8	25 045.0	27 420.5	24 078.0
重庆	21 920.1	24 153.0	26 385.8	28 920.4	25 344.8
四川	18 699.1	20 579.8	22 460.6	24 703.2	21 610.7
贵州	14 977.1	16 703.7	18 430.2	20 397.4	17 627.1
云南	16 612.5	18 348.3	20 084.2	22 082.4	19 281.9
长江上游均值	18 052.2	19 946.2	21 840.2	24 025.8	20 966.1
均值	25 327.0	27 872.5	30 418.0	33 229.1	29 211.6

注:因数据四舍五入,计算结果有偏差。

(5) 科技经费投入逐年上升

如表 6-7 所示,整体而言,2016—2019 年长江经济带科技经费支出占比地区生产总值呈现上升趋势,其占比从 2016 年的 2.57%上升至 2019 年的 3.16%,增幅为 23.0%,表明长江经济带产业绿色发展政策带动了经济带整体科技经费支出占比的提升。分区域看,长江上游、中游、下游 2016 年的均值分别为 1.28%、1.96%和 4.33%,2019 年的均值分别为 1.55%、3.00%和 4.89%,增幅分别为 21.1%、53.1%、12.9%,中游地区的增幅显著大于上下游地区,且经济带内三大区域的科技经费支出占比均值均呈递增趋势,表明长江经济带产业绿色发展政策可带动区域科技经费支出占比提升,进而加速产业绿色增长。从省市层面看,多数省市的科技经费支出占比呈上升趋势,个别省市个别年份的科技经费支出占比略有下降,如 2017 年的安徽、2018 年的云南,表明长江经济带产业绿色发展政策带动了经济带内各省市科技经费支出占比的提升,进而推动了地区产业绿色增长。

表 6-7 长江经济带各省市科技经费支出占比地区生产总值 单位:%

省市	2016 年	2017 年	2018 年	2019 年	均值
上海	4.94	5.17	5.11	4.76	4.99
江苏	3.82	4.03	4.35	4.55	4.19
浙江	3.86	4.03	4.40	5.13	4.36
安徽	4.70	4.20	4.49	5.11	4.62
长江下游均值	4.33	4.36	4.59	4.89	4.54
江西	1.80	2.34	2.60	2.86	2.40
湖北	2.96	3.43	3.70	4.01	3.52
湖南	1.13	1.29	1.74	2.14	1.57
长江中游均值	1.96	2.35	2.68	3.00	2.50
重庆	1.29	1.37	1.51	1.63	1.45
四川	1.26	1.23	1.52	1.79	1.45
贵州	1.63	1.91	2.05	1.92	1.87
云南	0.93	0.94	0.90	0.87	0.91
长江上游均值	1.28	1.36	1.50	1.55	1.42
均值	2.57	2.72	2.94	3.16	2.85

注:因数据四舍五入,计算结果有偏差。

(6) 高新技术产业总产值年际波动变化

如表 6-8 所示,2016—2019 年长江经济带高新技术产业总产值整体呈现波动下降后又回升的趋势,其均值从 2016 年的 6 437.5 万元下降至 2019 年的 6 106.9 万元,降幅为 5.1%,表明长江经济带高新技术产业发展相对缓慢,不利于促进产业绿色增长,需进一步加强产业绿色增长政策引导。分区域看,长江上游、中游、下游地区 2016 年的高新技术产业总产值均值分别为 3 060.8 万元、3 673.4 万元和 11 887.3 万元,2019 年的均值分别为 3 541.4 万元、3 862.4 万元和 10 355.7 万元。上游地区的高新技术产业总产值均值逐年增加,四年增幅为 15.70%;中游地区的高新技术产业总产值均值在前三年小幅下降后于 2019 年又显著提升,四年增幅为 5.1%;下游地区的高新技术产业总产值均值逐年下降,四年降幅为 12.9%。长江经济带三大区域的高新技术产业总产值表现为不同的变化趋势,其原因是中上游地区高新技术产业发展起步晚,提升空间较大,而下游地区发展起步早,产业配套成熟,受国际环境及产业结构的影响略有小幅下降,致使优化产业结构和发展高端产业需求强烈。在此情形下,更需发挥产业绿色发展政策的引领作用,积极提升产业绿色增长潜力。

从省市层面看，江苏、上海、浙江、四川的均值分别占据长江经济带九省两市高新技术产业总产值的前四位，下游地区占据三位，上游地区占据一位。此外，长江经济带九省两市除去江苏、湖北外，高新技术产业总产值多数呈现上升趋势，表明长江经济带产业绿色发展政策对长江经济带各省市高新技术产业总产值具有促进作用。综上可知，长江经济带高新技术产业总产值在2016—2019年呈现不同的发展趋势，高新技术产业总产值按下游、中游、上游的顺序递减排列，针对产业绿色发展政策对长江经济带高新技术产业总产值提升所起到的带动作用有所差异。

表 6-8　长江经济带各省市高新技术产业总产值　单位：万元

省市	2016 年	2017 年	2018 年	2019 年	均值
上海	7 339.3	7 372.4	7 525.8	7 488.4	7 431.5
江苏	30 815.2	27 226.2	24 366.4	22 569.6	26 244.4
浙江	5 899.7	6 398.3	6 931.5	7 842.7	6 768.1
安徽	3 494.8	3 419.9	3 498.9	3 522.1	3 483.9
长江下游均值	11 887.3	11 104.2	10 580.6	10 355.7	10 981.9
江西	3 550.9	3 644.0	3 836.0	4 270.1	3 825.2
湖北	4 018.6	3 863.6	3 763.5	3 837.0	3 870.7
湖南	3 450.6	3 199.8	3 040.8	3 480.2	3 292.9
长江中游均值	3 673.4	3 569.1	3 546.8	3 862.4	3 662.9
重庆	4 960.2	4 963.8	5 056.6	5 517.9	5 124.6
四川	5 809.9	5 886.9	6 099.0	6 790.6	6 146.6
贵州	1 003.8	1 024.9	1 093.7	1 052.3	1 043.7
云南	469.2	565.4	668.8	805.0	627.1
长江上游均值	3 060.8	3 110.3	3 229.5	3 541.4	3 235.5
均值	6 437.5	6 142.3	5 989.2	6 106.9	6 169.0

注：因数据四舍五入，计算结果有偏差。

6.2.2　产业转型潜力

(1) 产业转型潜力有待进一步挖掘

通过熵值法测算长江经济带产业转型潜力评价指标水平，如表 6-9 所示。整体而言，2016—2019 年长江经济带产业转型潜力评价指标水平呈现下降趋势，其均值从 2016 年的 0.592 下降至 2019 年的 0.585，降幅为 1.2%，表明长江经济带产业绿色发展政策未能对长江经济带产业转型潜力产生有效推动作用。分区域看，长江上游、中游、下游地区2016年的均值分别为0.556、0.615、0.611，2019年的均值分别为0.558、0.596、0.605，变化幅度分别为0.4%、−3.1%、−1.0%，三大区域的产业转型潜力均呈现出不同程度的变化趋势，其中上游地区的产业转型潜力呈上升趋势，而中下游地区呈下降趋势，中游地区降幅较高，表明长江经济带产业绿色发展政策的实施未能充分提升长江经济带各区域的产业转型潜力，长江经济带产业转型潜力差异较大，需要国家在实施产业绿色发展政策时进行宏观把控，做好区域产业转型潜力协调提升工作，充分释放长江经济带产业转型潜力。

从省市层面看，重庆、上海、江西、湖南的均值分别占据长江经济带九省两市的前四位，中游地区占据两位，其余区域各占一位。此外，长江经济带九省两市产业转型潜力呈现不同趋势，江苏、江西、重庆、贵州、云南5省市为上升趋势，其余省市则为下降趋势，表明长江经济带产业绿色发展政策对长江经济带各省市产业转型潜力的实施效果未得到完全释放。综上可知，长江经济带的产业转型潜力在2016—2019年呈现不同的发展趋势，产业绿色发展政策对长江经济带产业转型潜力提升所起到的带动作用存在区域差异，需进一步加强政策引导。

表6-9　长江经济带各省市产业转型潜力评价指标水平

省市	2016年	2017年	2018年	2019年	均值
上海	0.768	0.800	0.743	0.745	0.764
江苏	0.433	0.487	0.515	0.484	0.480
浙江	0.655	0.652	0.666	0.626	0.650
安徽	0.589	0.621	0.597	0.563	0.592
长江下游均值	0.611	0.640	0.630	0.605	0.621
江西	0.660	0.731	0.734	0.698	0.706
湖北	0.538	0.584	0.587	0.515	0.556
湖南	0.646	0.699	0.705	0.574	0.656
长江中游均值	0.615	0.672	0.675	0.596	0.639
重庆	0.768	0.768	0.788	0.795	0.780
四川	0.488	0.496	0.512	0.419	0.479
贵州	0.529	0.501	0.577	0.540	0.537
云南	0.441	0.500	0.483	0.478	0.475

续表

省市	2016年	2017年	2018年	2019年	均值
长江上游均值	0.556	0.566	0.590	0.558	0.568
均值	0.592	0.622	0.628	0.585	0.607

注：因数据四舍五入，计算结果有偏差。

（2）城市绿化水平稳步提高

如表6-10所示，整体而言，2016—2019年长江经济带城市绿化率呈现逐年上升趋势，其均值从2016年的40.13％上升至2019年的41.17％，增幅为2.6％，表明长江经济带产业绿色发展政策对长江经济带城市绿化水平有促进作用。分区域看，长江上游、中游和下游地区2016年的均值分别为38.83％、40.61％、41.07％，2019年的均值分别为40.71％、41.89％、41.10％，增幅分别为4.8％、3.2％、0.1％。从省市层面看，自长江经济带产业绿色发展政策实施以来，除上海外，各省市城市绿化率均呈现增长趋势，但增幅有所差异，江西、江苏、安徽、湖南、浙江等中下游地区省市的绿化率略高于贵州、云南等上游地区省市，表明长江经济带产业绿色发展政策极大地提升了长江经济带城市绿化水平。综上可知，长江经济带的城市绿化率在2016—2019年呈现增长趋势，考虑到上中游地区部分省市的绿化水平较低，难以实现全区域产业绿色协调发展，因此需要实施因地制宜的产业绿色发展政策以推动区域城市绿化协调发展。

表6-10　长江经济带各省市城市绿化率　　单位：％

省市	2016年	2017年	2018年	2019年	均值
上海	38.60	39.10	36.24	36.84	37.70
江苏	42.94	42.97	43.13	43.38	43.11
浙江	41.02	40.36	41.19	41.46	41.01
安徽	41.71	42.15	42.50	42.72	42.27
长江下游均值	41.07	41.15	40.77	41.10	41.02
江西	43.63	45.22	45.92	45.55	45.08
湖北	37.60	38.43	38.37	38.88	38.32
湖南	40.60	41.21	41.16	41.24	41.05
长江中游均值	40.61	41.62	41.82	41.89	41.48
重庆	40.76	40.32	40.36	41.82	40.82
四川	39.90	40.00	40.55	41.85	40.58

续表

省市	2016 年	2017 年	2018 年	2019 年	均值
贵州	36.80	37.01	38.64	39.42	37.97
云南	37.84	38.87	39.78	39.73	39.06
长江上游均值	38.83	39.05	39.83	40.71	39.60
均值	40.13	40.51	40.71	41.17	40.63

注:因数据四舍五入,计算结果有偏差。

(3) 工业废水排放量有所上升

如表 6-11 所示,整体而言,2016—2019 年长江经济带工业废水排放量呈现上升趋势,其均值从 2016 年的 58 607.91 万吨上升至 2019 年的 80 716.35 万吨,增幅为 37.7%,表明长江经济带产业绿色发展政策对长江经济带工业废水排放的约束作用有限。分区域看,长江上游、中游和下游地区 2016 年的均值分别为 24 727.75 万吨、49 362.67 万吨、99 422.00 万吨,2019 年的均值分别为 36 217.35 万吨、70 051.29 万吨、133 214.15 万吨,增幅分别为 46.5%、41.9%、34.0%,三大区域的工业废水排放量均呈现上升趋势。从省市层面看,江西、江苏、安徽、湖南、浙江等中下游地区省市的工业废水排放量高于贵州、云南等上游地区省市,但自长江经济带产业绿色发展政策实施以来,九省两市的工业废水排放量均呈现增大趋势,表明长江经济带产业绿色发展政策对长江经济带工业废水排放的约束机制尚未发挥其应有的作用。综上可知,长江经济带的工业废水排放量在 2016—2019 年呈现增长趋势,且效果尚未达到预期。此外,考虑到长江经济带既是一条繁荣的产业密集带,又是一条黄色的污染容纳带,面临着巨大的水生态环境退化、治理与修复压力,未来依旧会成为绿色发展的痛点与难点。

表 6-11　长江经济带各省市工业废水排放量　　单位:万吨

省市	2016 年	2017 年	2018 年	2019 年	均值
上海	36 599.00	28 331.13	25 670.86	34 138.00	31 184.75
江苏	182 058.00	237 340.87	237 324.98	237 309.09	223 508.24
浙江	129 913.00	188 840.17	191 246.61	193 653.05	175 913.21
安徽	49 118.00	67 593.40	67 674.92	67 756.44	63 035.69
长江下游均值	99 422.00	130 526.39	130 479.34	133 214.15	123 410.47
江西	54 786.00	74 779.98	76 296.50	77 813.02	70 918.88
湖北	45 754.00	71 702.43	69 498.28	67 294.12	63 562.21

续表

省市	2016 年	2017 年	2018 年	2019 年	均值
湖南	47 548.00	71 167.88	68 107.30	65 046.72	62 967.48
长江中游均值	49 362.67	72 550.10	71 300.69	70 051.29	65 816.19
重庆	25 875.00	34 916.91	32 596.62	30 276.33	30 916.22
四川	31 236.00	63 965.60	60 818.76	57 671.92	53 423.07
贵州	10 021.00	18 071.20	17 913.00	17 754.81	15 940.00
云南	31 779.00	38 847.50	39 006.92	39 166.34	37 199.94
长江上游均值	24 727.75	38 950.30	37 583.83	36 217.35	34 369.81
均值	58 607.91	81 414.28	80 559.52	80 716.35	75 324.52

注:因数据四舍五入,计算结果有偏差。

(4) 工业二氧化硫排放量呈降低趋势

如表 6-12 所示,整体而言,2016—2019 年长江经济带工业二氧化硫排放量呈现下降趋势,其均值从 2016 年的 36.85 万吨降至 2019 年的 22.88 万吨,降幅为 37.9%,表明长江经济带产业绿色发展政策对长江经济带工业二氧化硫排放的约束效果明显。分区域看,长江上游、中游和下游地区 2016 年的均值分别为 48.75 万吨、30.31 万吨、29.86 万吨,2019 年的均值分别为 26.62 万吨、24.35 万吨、18.04 万吨,降幅分别为 45.4%、19.7%、39.6%,三大区域的工业二氧化硫排放量均呈现下降趋势,上游和下游的降幅较大。从省市层面看,自长江经济带产业绿色发展政策实施以来,九省两市的工业二氧化硫排放量均呈现下降趋势(除江西省外),上海、浙江、重庆的降幅均超过 50%,表明长江经济带产业绿色发展政策极大地约束了经济带内工业二氧化硫的排放,对上游和下游各省市产生的抑制效果最为明显。

表 6-12　长江经济带各省市工业二氧化硫排放量　　单位:万吨

省市	2016 年	2017 年	2018 年	2019 年	均值
上海	7.42	1.85	1.08	1.46	2.95
江苏	57.01	41.07	30.42	38.32	41.70
浙江	26.84	19.05	8.20	11.40	16.37
安徽	28.16	23.54	15.56	20.97	22.06
长江下游均值	29.86	21.38	13.81	18.04	20.77
江西	27.69	21.55	23.11	32.17	26.13
湖北	28.56	22.01	9.71	18.07	19.59

续表

省市	2016 年	2017 年	2018 年	2019 年	均值
湖南	34.68	21.46	11.83	22.82	22.70
长江中游均值	30.31	21.67	14.88	24.35	22.80
重庆	28.83	25.34	8.58	12.89	18.91
四川	48.83	38.91	17.90	26.38	33.01
贵州	64.71	68.75	27.55	40.70	50.43
云南	52.62	38.44	21.33	26.49	34.72
长江上游均值	48.75	42.86	18.84	26.62	34.27
均值	36.85	29.27	15.93	22.88	26.23

注:因数据四舍五入,计算结果有偏差。

(5) 工业烟(粉)尘排放量呈增长趋势

如表 6-13 所示,整体而言,2016—2019 年长江经济带工业烟(粉)尘排放量呈现增长趋势,其均值从 2016 年的 24.97 万吨升至 2019 年的 46.27 万吨,增幅为 85.3%,表明长江经济带产业绿色发展政策对长江经济带工业烟(粉)尘排放的约束效果有待加强。分区域看,长江上游、中游和下游地区 2016 年的均值分别为 20.51 万吨、29.03 万吨、26.37 万吨,2019 年的均值分别为 42.73 万吨、56.48 万吨、42.17 万吨,增幅分别为 108.3%、94.6%、59.9%,三大区域的工业烟(粉)尘排放量均呈现上升趋势,上游地区的增幅最大。从省市层面看,自长江经济带产业绿色发展政策实施以来,九省两市工业烟(粉)尘排放量均呈现增长态势,仅上海市为个位数增长。综上可知,长江经济带的工业烟(粉)尘排放量在 2016—2019 年呈现上升趋势,长江经济带产业绿色发展政策未能有效地约束长江经济带整体、三大区域和各省市的工业烟(粉)尘排放。

表 6-13　长江经济带各省市工业烟(粉)尘排放量　　单位:万吨

省市	2016 年	2017 年	2018 年	2019 年	均值
上海	7.95	4.70	1.62	8.48	5.69
江苏	47.17	39.08	48.12	62.17	49.14
浙江	18.23	15.34	26.37	43.80	25.94
安徽	32.13	28.08	45.50	54.21	39.98
长江下游均值	26.37	21.80	30.40	42.17	30.19
江西	33.31	27.95	40.84	44.40	36.63
湖北	27.58	18.80	25.09	48.85	30.08

续表

省市	2016 年	2017 年	2018 年	2019 年	均值
湖南	26.21	20.71	26.16	76.18	37.31
长江中游均值	29.03	22.49	30.70	56.48	34.67
重庆	9.58	8.33	15.40	25.15	14.62
四川	27.27	22.40	32.22	73.88	38.94
贵州	20.43	19.68	31.47	40.21	27.95
云南	24.76	22.42	43.20	31.68	30.51
长江上游均值	20.51	18.21	30.57	42.73	28.00
均值	24.97	20.68	30.55	46.27	30.62

注：因数据四舍五入，计算结果有偏差。

（6）工业固体废弃物排放量不断增加

如表 6-14 所示，整体而言，2016—2019 年长江经济带工业固体废弃物排放量呈现逐年上升趋势，其均值从 2016 年的 9 668.91 万吨上升至 2019 年的 11 512.64 万吨，增幅为 19.1%，表明长江经济带产业绿色发展政策对长江经济带工业固体废弃物排放的抑制作用不明显。分区域看，长江上游、中游、下游地区 2016 年的均值分别为 10 626.50 万吨、9 721.33 万吨、8 672.00 万吨，2019 年的均值分别为 13 745.75 万吨、11 309.00 万吨、9 432.25 万吨，增幅分别为 29.4%、16.3%、8.8%，三大区域的工业固体废弃物排放量均呈现上升趋势，表明长江经济带产业绿色发展政策的实施对三大区域工业固体废弃物排放未能起到应有的抑制作用。经对比可知，上中游地区是长江经济带工业固体废弃物的主要来源地。从省市层面看，云南、四川、安徽等省市是长江经济带工业固体废弃物的主要排放地，近年来的排放量均保持上升态势，表明长江经济带产业绿色发展政策对长江经济带工业固体废弃物排放的约束作用并不理想。

表 6-14　长江经济带各省市工业固体废弃物排放量　　单位：万吨

省市	2016 年	2017 年	2018 年	2019 年	均值
上海	1 797.00	1 789.00	1 792.00	1 826.00	1 801.00
江苏	13 087.00	13 610.00	13 023.00	13 610.00	13 332.50
浙江	5 562.00	5 652.00	5 720.00	5 722.00	5 664.00
安徽	14 242.00	14 068.00	15 470.00	16 571.00	15 087.75
长江下游均值	8 672.00	8 779.75	9 001.25	9 432.25	8 971.31

续表

省市	2016 年	2017 年	2018 年	2019 年	均值
江西	12 535.00	12 405.00	12 129.00	13 049.00	12 529.50
湖北	10 473.00	10 744.00	11 528.00	13 368.00	11 528.25
湖南	6 156.00	6 016.00	6 127.00	7 510.00	6 452.25
长江中游均值	9 721.33	9 721.67	9 928.00	11 309.00	10 170.00
重庆	2 520.00	2 496.00	2 658.00	2 730.00	2 601.00
四川	13 620.00	15 221.00	16 708.00	18 722.00	16 067.75
贵州	9 077.00	10 671.00	12 186.00	12 734.00	11 167.00
云南	17 289.00	17 115.00	19 767.00	20 797.00	18 742.00
长江上游均值	10 626.50	11 375.75	12 829.75	13 745.75	12 144.44
均值	9 668.91	9 980.64	10 646.18	11 512.64	10 452.09

注:因数据四舍五入,计算结果有偏差。

6.3 存在的问题

6.3.1 法律法规不完善,政策工具支撑不足

绿色经济法律条文不只与环境保护领域相关,也与产业发展、财政税收、绿色金融等紧密关联,是成熟的法律政策系统。当前,国内的绿色经济法律条文大部分是环境保护、污染管理与能源开发等内容,并未涉及绿色财政、金融和消费等行业,还没有形成成熟的绿色经济发展系统。此外,与法律条文相对应的政策工具并未健全:第一,绿色投融资制度不完善。中央与地方绿色财政预算投入较少,未创建平稳的预算投入科目与制度,其中社会融资方式较少,不能高效激励与吸纳民间游资参加绿色经济活动,限制绿色经济的持续进步。第二,绿色税收系统有待持续健全。通常体现在排污费征收比值不高,资源税、消费税等税种设定不全面等,造成公司缺乏污染管理和技术创新的积极性。

6.3.2 经济增长方式粗放,发展效益较低

国内经济在得到较大发展的同时也付出了一定的代价,西方国家在上百年的工业化进程中遭遇的现实问题,在我国短暂的 20 余年时间里就集中显现,之前“高投入、高损耗、高排放、不和谐、难循环、低效率”的粗放型增长方式依旧

在使用。基于增长贡献率进行分析，国内经济发展中的资本贡献大概只占60％，劳动贡献大概占10％，科技发展的贡献只占30％，但在发达国家，经济发展约有60％都依赖科技发展的贡献。因此可知，国内的经济增长形式还没有完全实现从资源环境损耗的要素驱动型向效率驱动的集约型的转变。基于资源使用率进行分析，国内的资源使用效率明显低于西方国家，万元GDP用水量是全球平均水平的四倍，再一次印证了“资源环境损耗严重，经济结构不科学”的现象依然存在。由于经济结构不科学，“重视开发、轻视保护”的现象在国内部分地区仍频繁出现，粗放的资源开发形式并未彻底得到改变，在一定程度上限制了绿色经济的发展。

6.3.3 环境贸易逆差大，外需依赖严重

在开放经济环境中，我国环境贸易出现了明显的逆差问题。根据估算可知，国内出口产品的损耗大约占能源消费总数的1/4，其中净出口对经济发展的贡献率低于15％，出口贸易会排放大约30％的二氧化硫、25％的烟尘与20％的碳，因此需要执行绿色贸易规划，促进绿色贸易的发展。在国际贸易中，绿色产业如新能源产业具有明显的欧美市场依赖症。首先，新能源产品如风电、太阳能产品等依旧使用出口导向型的产业形式，主要依靠海外市场，内需明显不足。将我国的光伏组件生产当作案例，多数依旧是国外订单。其次，后金融危机阶段，德国、西班牙与日本等重要市场的需求明显减少，贸易保护主义开始出现，在一定程度上减少了对新能源的财政补助，以众多名义设置绿色贸易壁垒，影响了国内新能源产业的发展。

6.3.4 资源能源约束趋紧，环境污染突出

即便国内资源总数相对充足，但人均占有量不高，水资源、耕地资源人均拥有量是全球平均水平的28％与43％，煤炭、石油与天然气的人均占有量只有全球平均水平的67％、5.4％和7.5％。此外，和全球其他区域进行比较，国内一次性能源煤炭、石油、天然气探明储量的比值与储采比都不如全球平均水平。当前，我国正逐渐变为世界上规模庞大的能源消费国，能源供需问题愈发严重，2015年国内石油对外依存度突破60％，而上述数值在20世纪初期仅为32％。此后，伴随我国工业化与城市化的发展，基础设施投资与民众消费需求稳定增长，资源能源需求也稳定提高，能源供需问题更加明显。目前国内城镇化率超过60％，汽车保有量超过3亿辆(2017年，美国的此数值是2.65亿)，能源需求量达50亿吨标准煤。由此可以知道，持续增长的资源能源需求以及较

少的供给之间的矛盾就是此后国内绿色经济发展的主要限制条件。此外，伴随持续增加的资源损耗，环境压力更加沉重，形成了明显的环境污染问题与生态风险，比如空气污染问题突出、水污染更加严重、土地荒漠化程度加深、生物多样性弱化和自然灾害频繁出现等。

6.3.5 产业结构重型化特征显著，产业绿色发展存在较大难度

长江经济带总体工业结构重型化趋势也十分明显，其中上游地区长期以来一直是我国传统制造业的重要基地，沿线布局了四大钢铁公司和七大炼油厂等诸多大型重化工业生产基地，正处于全面加速推进工业化时期，船舶、造纸、钢铁、电力、化工、食品加工、采矿、有色金属、建材等高污染、高能耗的资源型产业与产能过剩产业是长江经济带的重要支柱产业。

首先，采矿业等资源型产业仍是中上游地区的重要产业。目前，在下游地区，采矿业等资源型产业已较少，制造业在工业结构中占据绝对的主导地位；而中上游地区普遍具有不同类型的矿产资源，因此产业发展尚未真正摆脱对资源的依赖，采矿业在工业结构中均占有一定的比重。尤其是上游地区矿产资源较为丰富的四川、贵州、云南三省对采矿业的依赖程度仍较高。通常采矿业的发展会带来不同程度的资源损耗和对生态环境的破坏；同时，依托采矿业延伸出的矿石冶炼和加工产业往往也属于高耗能、高污染产业，也无疑会给生态带来较大的负面影响。

其次，高消耗、高污染型产业的占比依然较高。在国内外市场需求的拉动下，在较好的水运等交通条件的支撑下，长江沿线布局了大量的钢铁、有色金属、建材、石化、化工和电力等高耗能项目。长江经济带各省市六大高耗能产业占比均超过20%，最高的贵州、江西两省六大高耗能产业占比分别高达45.7%和43.4%。一些高消耗、高污染型产业普遍位居各省市最大规模产业之列，对当地经济发展起着显著支撑作用。长江经济带部分重化工产品产量庞大，在全国乃至世界都占有重要地位。部分重化工项目尤其是一些中小项目，仍未摆脱高投入、高消耗、高排放的粗放模式，导致工业能耗、物耗和污染水平居高不下。

伴随着下游长三角与东部沿海发达地区的产业转型升级，下游地区的产业结构逐步迈向智能化、绿色化、高端化、服务化，中上游地区则依托劳动力、资源成本比较优势积极承接下游地区的资源密集型与劳动力密集型等非环境友好型产业，引导未来经济社会发展的战略性新兴产业的发展空间可能会因此受到挤压。中上游地区的产业结构进一步重化工业化导致了巨大的生态环境压力，通过流域生态系统的联动性，最终会将中上游地区严重的生态环境压

力传导至各个地区。2015年，长江经济带九省两市六大高耗能产业的销售产值占工业销售总产值的比重均高于20%，而在中上游地区的江西、贵州、云南，该比重更是高达39.93%、39.60%和48.70%，成为维续长江经济带经济稳定增长的源动力，也是造成其生态系统不稳定的重要原因之一。

6.3.6 协同发展机制不健全

目前，跨省级协调管理长江经济带发展的政府职能部门仅有长江委与长江航务管理局。前者是水利部的派出机构，主要负责长江流域水资源管理；后者为交通运输部的派出机构，主要负责长江流域航运管理。两者都设立于武汉市，均为单一要素职能管理机构，难以肩负起推进整个长江经济带上中下游地区协调合作与发展一体化的重任。于2014年成立的推动长江经济带发展领导小组，理论上拥有强大的组织动员能力，但由于它不是一个正式的政府职能部门，而是类似于一个临时协调机构，因此只能起到协调管理长江经济带建设中的临时突发问题的作用，同时组长是由中共中央政治局常委兼任，而非专职应对处理长江经济带建设与发展事务，所以尽管领导小组有着高效的组织动员能力，但综合治理能力有限。

此外，虽然长江经济带在整体及上中下游均建立了常态的对话沟通平台，如长江沿岸中心城市经济协调会、长江上游地区省际协商合作联席会议、长江中游城市群省会城市会商会与长江三角洲城市经济协调会，并发表了加快绿色发展与加强生态保护合作的《武汉共识》《长沙宣言》《合肥纲要》等集体倡议，但相关合作平台和协议的约束力度不够，难以对长江经济带一体化绿色发展产生持续性的实质影响。缺乏统一有效的协调发展机制，使得在水生态环境管理方面，纵向的管理部门职能存在交叉和重叠，在部分事务管理上存在着过度介入或相互推诿的现象。部分部门之间缺乏协调，导致众多的标准、程序、专项规划和治理政策相互矛盾与冲突，特别是上中下游地区难以就生态补偿的形式与标准达成一致意见，造成项目审批效率低下、地区间行政壁垒巨大等难题，加剧了绿色发展的困境。

6.3.7 工业企业污染治理投资不足，经济下行弱化企业节能减排意愿

近年来，随着污染排放形势的加剧和绿色发展理念的深入，长江经济带各地区逐步加大对污染治理的重视程度和投资力度，但与全国平均水平相比投资仍显不足。例如，2019年，长江经济带每百万元规模以上工业单位主营业务收入工业污染治理完成投资总额为605.2万元，比全国平均水平低近300万

元，只有浙江、贵州、云南三省投资强度高于全国平均水平。分类型看，每百万元规模以上工业单位主营业务收入废气治理完成投资总额为108.8万元，略高于全国平均水平；废气治理投资额为437.7万元，比全国平均水平低376万元；此外，固体废弃物、噪声和其他污染物治理投资强度均低于全国平均水平。很显然，相对较低的环保投资强度难以适应未来产业绿色转型发展的需要。

受国内外环境的影响，长江经济带各省市的经济发展也进入新常态，下行压力不断加大，工业增长动力有所减弱，投资意愿不断降低。随着劳动力成本优势的不断削弱，加之当前经济下行压力较大，企业盈利能力受到很大影响。同时，部分工业行业产能过剩现象依然严重，特别是钢铁、建材、有色金属等行业尤为突出；制造业产品价格和行业利润普遍处于低位，并呈现下滑趋势。利润不足导致企业投资意愿不高，效益下滑对企业节能减排的投入意愿和能力产生较大抑制力，而新的工业增长动力机制形成需要经历一段相对较长的时间，抉择和权衡产业绿色转型与保持经济稳定增长的关系成为重要的挑战。

6.3.8 产业层次偏低，绿色制造产业技术装备水平及相关服务体系亟待提高和加强

首先，长江经济带的产业层次依然偏低，以低端产业、低附加值产品和低层次技术为主的结构特征明显，以企业技术和品牌为主导的竞争优势暂未形成。同时，企业技术装备和管理水平参差不齐，高消耗、高污染的低端技术装备和产品仍占据一定的比例，制造过程中的物耗、能耗和废弃物排放严重，主要行业能源资源的利用效率与国际先进水平仍有差距。

其次，绿色制造技术、工艺和装备水平亟待提高。机械装备及产品的绿色设计能力及其软件支持薄弱，废旧家电、汽车、工程机械等产品和机械装备资源的再利用率较低、附加值低、二次污染问题严重，难以满足日益快速增长的报废处理需求和资源循环再利用需求。同时，相关节能环保产业和服务体系也不适应产业绿色转型升级。节能环保企业的规模普遍偏小，产业集中度低，龙头骨干企业的带动作用有待进一步提高；节能环保服务体系仍不健全，节能环保产业的公共服务平台亟待加速建设。

07

第七章

完善长江水资源开发利用的政策建议

7.1 长江水资源开发利用的制度设计理念

7.1.1 协同治理理念

长江流域涉及的区域行政单位分割复杂，区内环境、水利、交通、农业、资源、林业等各职能部门管理往往各自为政，业务条块化，职能专业化，使得各区域、各职能部门的治理工作通过单一的政府管理手段难以达到有效的成果。长江流域生态环境的治理必须树立多主体协同治理发展理念，充分调动影响长江生态环境发展各要素的积极性，开展多主体协同合作，综合治理，充分发挥集体力量与集体智慧，全面增强我国水资源统筹调配能力、供水保障能力、战略储备能力。立足流域整体和水资源空间均衡配置，实施重大引调水工程建设，推动南水北调东、中线后续工程建设，深化南水北调西线工程方案比选论证，建设一批跨流域跨区域骨干输水通道，加强大中小微水利设施配套，逐步完善国家供水基础设施网络。推进综合性水利枢纽和调蓄工程建设，加强战略储备水源和城市应急备用水源工程建设，保障重点区域供水安全。加强灌溉供水管网建设，改善灌区水源条件，推进灌区续建配套与现代化改造。推进城市供水管网向农村延伸，促进农村供水工程与城市管网互联互通，推进农村水源保护和供水保障工程建设，实施小型农村供水工程标准化建设改造，畅通供水网络的“毛细血管”。由此可见，长江流域水资源优化配置要遵循多主体协同治理发展的理念。

7.1.2 人水和谐发展理念

人水和谐理论指人文系统与水系统相互协调的良性循环状态，即在不断改善水系统自我维持和更新能力的前提下，使水资源能够为人类生存和经济社会的可持续发展提供久远的支撑和保障。人水和谐发展理论是坚持以人为本、全面、协调、可持续的科学发展观，是可持续发展、协同发展、综合发展、绿色发展、生态文明发展的重要体现。长江流域人水生态系统是水与社会、经济、生态、环境等诸多要素相互作用、协同耦合而成的复合巨系统。长江水资源优化配置要以人水和谐发展理论为指导，尊重人水和谐发展规律，走人水和谐发展之路。应当坚持“绿水青山就是金山银山”，加大江河湖泊的保护治理力度，统筹做好水土保持、地下水超采治理、受损河湖生态修复等工作，保留和扩大河湖生态空间。强化河湖长制，推动河湖“清四乱”规范化、常态化，巩固河湖管理范围划界成果，开展河道采砂综合整治和河湖执法行动，完善河湖管理保护机制，推进美丽河湖、健康河湖建设，持续改善河湖面貌。科学推进水土流失综合治理，积极开展小流域综合治理、旱作梯田和淤地坝建设，严控人为新增水土流失。开展生态脆弱河流和重点湖泊生态修复，加快华北地区及其他重点区域地下水超采综合治理，推进小水电站生态流量泄放设施改造，开展农村水系综合整治，维护水清岸绿的水生态体系。

7.1.3 现代技术管理理念

坚持科技引领和数字赋能，提高水资源智慧管理水平。充分运用数字映射、数字孪生、仿真模拟等信息技术，建立覆盖全域的水资源管理与调配系统，推进水资源管理数字化、智能化、精细化。长江流域内行政、生态环境单元复杂，流域生态环境保护与治理问题也十分复杂。传统的公共管理手段已很难适应长江生态环境保护与治理的需要，3S 技术、大数据应用分析技术、现代网络技术在现代大区域政府管理方面具有广阔的应用空间。加强流域生态环境治理现代技术与大数据应用研究势在必行，是未来流域治理的研究方向①。不仅如此，还应该加强监测体系建设，优化行政区界断面、取退水口、地下水等监测站网布局，实现对水量、水位、流量、水质等全要素的实时在线监测，提升信息捕捉和感知能力。动态掌握并及时更新流域区域水资源总量、实际用水量等信息，通过智慧化模拟进行水资源管理与调配预演，并对用水限额、生态流量等红线指标进行预报、预警，规避风险、制定预案，为推进水资源集约安全利用提供智慧化决策支持②。

7.1.4 保护优先的立法理念

确立保护优先的立法理念，是对习近平生态文明思想和习近平总书记长江经济带数次讲话精神的重要贯彻，也是新发展阶段环境资源保护法治建设的重要原则。“法”在本质上是对利益的确认、实现及保障的规范化途径，立法的目的即在于实现利益的确认与平衡。《长江保护法》在立法目的上，开宗明义地指出是为了加强长江流域生态环境保护和修复，保障生态安全。在基本

① 付景保. 黄河流域生态环境多主体协同治理研究[J]. 灌溉排水学报，2020，39(10)：130-137.

② 深入贯彻新发展理念 推进水资源集约安全利用[EB/OL].(2021-03-22)[2022-03-22]. https://baijiahao.baidu.com/s?id=1694882687333526375&wfr=spider&for=pc.

原则之上，提出长江流域经济社会发展应当坚持生态优先、绿色发展，共抓大保护、不搞大开发。《长江保护法》始终以“保护优先”为主线，坚持把保护和修复长江流域生态环境放在压倒性位置，提出开展资源环境承载能力评价、水生物完整性评价、地下水环境风险评估、绿色发展评估等生态环境保护评估，协调保护与发展的利益关系，突出保护对水资源开发、利用和管理的刚性约束作用，规范流域各类涉水经济社会活动，将水资源保护贯穿流域河湖开发、利用和管理中，有效协调水资源开发、流域经济社会发展和生态环境保护的关系。针对局部地区水资源、水环境、水生态长期累积性问题突出等制约着长江绿色发展的突出问题，《长江保护法》设立了资源保护专章，提出长江流域水资源保护与利用要保障基本生态用水，加强生态用水保障、饮用水水源地保护、地下水保护等制度的落实。例如，明确了长江流域水资源保护与利用应当根据流域综合规划，保障基本生态用水；实施跨长江流域调水应当优先保障调出区域及其下游区域的用水安全和生态安全等。①

7.1.5 节约用水理念

坚持节水优先方针，深入实施国家节水行动。把节水作为水资源开发、利用、保护、配置、调度的前提，推动用水方式进一步向节约集约转变。完善节水标准和用水定额体系，强化高耗水行业用水定额管理，开展节水评价，抓好重要领域、重点地区深度节水控水，全面推进农业节水增效、工业节水减排、城镇节水降损，鼓励再生水利用。发挥制度、政策、科技的支点和杠杆作用，加快健全政府引导、市场调节、社会协同的节水工作机制，推动将节水作为约束性指标和目标，完善用水价格形成机制，推进用水权市场化交易和水资源税改革，推广合同节水管理等服务模式，加强节水宣传教育，营造全社会节水惜水的良好氛围。

7.2 长江水资源开发利用的政策框架体系

《长江保护法》作为一部以生态环境保护为首要目标定位的法律，系统、全面地构建了长江生态环境保护的法律制度体系，为保障长江流域生态安全“立规矩”“下禁令”，将“共抓大保护、不搞大开发”的要求转化为最严格的制度、最

---

① 刘扬扬，王孟，邓瑞，等.《长江保护法》施行后流域水资源保护的思考[J]. 人民长江，2021，52(10):135-140.

严密的法治,形成了长江生态环境约束机制①。

7.2.1 完善流域规划与管控制度体系

《中共中央 国务院关于加快推进生态文明建设的意见》明确提出,“国土是生态文明建设的空间载体”。相比土地、水系等传统的空间范畴,“国土”更加突出“山水林田湖草是生命共同体”的理念。有鉴于此,《长江保护法》在总则之后专设“第二章 规划与管控”,将长江流域从传统的水系空间升级为相对独立的国土空间,在空间上推进系统治理、开展综合整治,进而充分发挥规划对国土空间开发保护的“管总”作用,加强国土空间全域管控。

(1) 制定长江流域规划体系

规划是行动的指南,是各类开发、保护、建设活动的基本依据。从支撑长江经济带建设的角度讲,长江流域承载社会、经济、文化、行政管理等多项功能。客观上要求规划在纵向上具有层级性,在横向上具备综合性,从而形成完备的规划体系。为此,《长江保护法》确立了包括国家发展规划、空间规划、专项规划、区域规划在内的流域规划体系,并且着重从战略高度明确了流域规划体系对推进长江生态环境保护的引领、指导和约束作用。一是以国家发展规划为统领。通过制定长江流域发展规划,科学统筹长江流域上下游、左右岸、干支流生态环境保护。二是以空间规划为基础。坚持底线思维,通过“组织编制长江流域国土空间规划”,把城镇、农业、生态空间和生态保护、永久基本农田保护、城镇开发边界作为调整经济结构、规划产业发展、推进城镇化不可逾越的红线。在此基础上,进一步强化空间规划对专项规划的指导约束作用,要求涉及长江流域国土空间利用的专项规划应当与长江流域国土空间规划相衔接②。

(2) 落实长江流域国土空间用途管制

实施国土空间用途管制,是充分发挥空间规划的战略引领作用、实现空间治理体系和治理能力现代化的手段。为了在长江流域严格实施国土空间用途管制,《长江保护法》规定流域内的国土空间开发利用活动应当符合国土空间用途管制要求;对不符合用途管制要求的,严令不得办理规划许可。在此基础上,《长江保护法》明确体现了“三线一单”制度,进一步强化国土空间的环境管控,即用“生态保护红线、环境质量底线、资源利用上线”(“三线”)管住发展与保

---

① 肖琴,周振亚,罗其友.新时期长江经济带农业高质量发展:问题与对策[J].中国农业资源与区划,2019,40(12):72-80.

② 刘佳奇.《长江保护法》中生态环境保护制度体系的逻辑展开[J].环境保护,2021,49(Z1):36-41.

护的空间格局、用“生态环境准入清单”(“一单”)规范发展行为,为长江生态环境保护的“关口前移”和精细化管理提供了权威性保障。实施国土空间用途管制,其重要目的在于“腾笼换鸟”,既为人类活动尤其是开发利用活动设立严格的准入门槛,又倒逼不符合管控要求的开发利用活动有序退出。开发利用活动直接表现为建设项目及经营企业,项目和企业“落地”的依据是区域产业结构的整体布置和规划,即产业布局。基于此,《长江保护法》在“用途管制”和“三线一单”基础上,进一步对产业布局和项目建设提出了具体的禁限要求。在产业布局上,禁止在重点生态功能区布局对生态系统有严重影响的产业,禁止重污染企业和项目向长江中上游转移。在项目建设上,为坚决制止以牺牲生态环境为代价的小水电开发,明确规定不符合生态保护要求的已建小水电工程应当组织分类整改或者采取措施逐步退出。

(3) 将水资源环境承载能力作为刚性约束

有别于以行政区划为基础的行政区域空间,长江流域是以水为纽带和基础的空间单元,水资源把流域内环境、社会、经济等众多过程连接起来。当前长江面临的生态环境问题突出表现在水资源环境承载能力与开发利用强度不相匹配甚至不堪重负。为此,《长江保护法》坚持人口经济与资源环境相均衡的原则,把水资源、水环境承载力作为制定空间规划、落实空间管控过程中的刚性约束。一方面,统筹流域水资源合理配置、统一调度和高效利用。通过实行水资源消耗总量与开发强度的“双控制”,严格水资源需求管理以控制开发利用强度。另一方面,根据水环境质量改善目标和水污染防治要求,确定流域各省级行政区域的重点污染物排放总量控制指标。对于流域内水质超标的水功能区,要求实施更严格的污染物排放总量削减要求。

(4) 加强流域空间的管控

作为以水系空间为基础“升级”成的国土空间,长江流域不仅包括重要水体等“点”、干支流等基本的“线”,还应涵盖流域国土空间的“面”。《长江保护法》既遵循了长江流域水系空间的属性,又考虑到升级为国土空间后对管控范围、对象的扩张性立法需求,对流域空间设定了系统性的管控要求。保护江河源头、湖泊等“点”。长江干流和重要支流的源头不仅对流域生态系统本身而言意义重大,而且是国家生态安全的重要屏障。为此,《长江保护法》有序对接以国家公园为主体的自然保护地体系建设,规定在长江干流和重要支流源头设立国家公园等自然保护地,以实现对江河源头的系统、长期、严格保护。同时,针对流域内湖泊生态功能退化的现状,明确规定流域县级以上地方人民政府负责划定湖泊管理范围,禁止非法侵占河湖水域。守住航道、河道等“线”。

长江干支流水域既发挥着重要的航运功能，又是采砂等开发利用活动相对集中的空间。但上述开发利用活动的存在，必须以长江生态安全为前提。具体而言：一方面，通航及实施航道整治固然可以充分发挥“黄金水道”的作用，但必须减少对重要水生物的干扰。特别是对水生物重要的栖息地，应当科学划定禁止和限制航行的区域；对确实需要在生态保护红线、自然保护地、水生物重要栖息地水域实施航道整治工程的必须经科学论证。另一方面，河砂固然是重要的资源，但滥采河砂不仅危及通航和行洪安全，更会对生态安全造成影响。因此，必须科学划定禁采区和规定禁采期，严格控制采砂区域、总量和采砂区域内的采砂船舶数量，从严规范河道采砂活动。严控岸线区域等“面”。岸线作为水陆过渡地带，是长江生态环境系统性保护过程中需要关注的重点区域。为严格控制岸线区域开发建设，《长江保护法》不仅要求划定河湖岸线保护范围、制定河湖岸线保护规划，还专门针对岸线区域内的化工企业、尾矿库“下禁令”。具体而言，为了破解“化工锁江”困局，明确禁止在长江干支流岸线一公里范围内新建、扩建化工园区和化工项目；为了防范和化解尾矿库环境风险，明确禁止在长江干流岸线三公里范围内和重要支流岸线一公里范围内新建、改建、扩建尾矿库①。

7.2.2 水资源保护制度体系

生态环境问题归根到底是由对资源的过度开发、粗放利用、奢侈消费造成的。长江经济带建设对于长江流域资源的依存度不容置疑，可以说长江流域资源是长江经济带的命脉。正因如此，《长江保护法》对长江生态环境的保护从资源使用这一“源头”抓起。通过严格规范各类开发、建设活动，减少各类资源使用过程中对长江生态环境的影响。

(1) 强化水资源管理

水是生命之源、生态之基、生产之要，是长江流域的核心资源要素。为保护好水资源，《长江保护法》树立忧患意识、坚持底线思维，将习近平总书记关于系统治水的一系列重要论述和重大部署转化为水资源管理的制度约束，为守护长江安澜提供了强有力的法治保障。优化流域水资源配置，从客观上看，长江流域水资源存在时空分布不均的问题，限制了区域间的协调均衡发展。为破解这一问题，《长江保护法》立足于通过优化水资源配置来打破时空局限。

---

① 刘佳奇.《长江保护法》中生态环境保护制度体系的逻辑展开[J].环境保护，2021，49(Z1)：36-41.

一是通过制定水量分配方案，为统筹流域水资源配置提供基本遵循。二是依据水量分配方案编制年度水量分配方案和调度计划，明确相关河段和控制断面流量水量、水位管控要求。三是充分利用流域控制性水利工程，采取联合调度提高防御水旱灾害的整体能力。四是加强跨流域调水的控制和管理，在优先保障调出区域及其下游区域的用水安全和生态安全的前提下，统筹调出和调入区域的用水需求。五是通过确定农业和工业用水效率目标、完善规划和建设项目水资源论证制度、加强对高耗水行业和重点用水单位的用水定额管理，以节约用水促进水资源保护。

(2) 突出流域生态用水保障

从《水法》规定的"协调好生活、生产经营和生态环境用水"到"优先满足城乡居民生活用水，保障基本生态用水，并统筹农业、工业用水以及航运等需要"，《长江保护法》明确了长江流域"三生"的价值排序，凸显保障基本生态用水在流域用水安全中的重要地位，进而通过以下具体制度设计加以贯彻落实。一是确定长江干流、重要支流和重要湖泊控制断面的生态流量管控指标以及其他河湖的生态流量管控指标，为保障基本生态用水划定"底线"。二是为保证河湖基本生态用水需求，将生态水量纳入年度水量调度计划，有力破解枯水期和鱼类产卵期水量下降和水位不足、河口咸水入侵等突出的流域性问题。三是将生态用水调度纳入水利水电、航运枢纽等工程的日常运行调度规程，并要求下泄流量符合生态流量泄放要求，在保证河湖生态流量的前提下实现水资源的合理利用。

(3) 守护饮用水安全

习近平总书记指出，"河川之危、水源之危是生存环境之危、民族存续之危"。针对饮用水安全这一关乎群众身体健康和生命安全的大事，《长江保护法》在《中华人民共和国水污染防治法》(以下简称《水污染防治法》)的基础上升级了相关措施。一是依法制定长江流域饮用水水源地名录并划定饮用水水源保护区，以加强对饮用水水源的保护。二是制定饮用水安全突发事件应急预案，加强饮用水备用应急水源建设，提升流域饮水安全的应急保障能力。三是为保障南水北调中线工程水源地的水质稳定达标，特别规定丹江口库区及其上游所在地县级以上地方人民政府应当按照饮用水水源地安全保障区、水质影响控制区、水源涵养生态建设区管理要求，加强山水林田湖草整体保护，增强水源涵养能力，以确保"一泓清水永续北上"。

(4) 保障地下水资源安全

当前，长江流域地下水资源正面临污染和超采的双重威胁。相较于地表水，影响地下水资源安全的问题更复杂、治理难度更大，在管理中也更容易被忽视。针对这一问题，《长江保护法》专门规定流域县级以上地方人民政府及其有关部门应当定期调查评估地下水资源状况，监测地下水水量、水位、水环境质量，并采取相应风险防范措施①。

7.2.3 水污染防治制度体系

水污染防治作为保护和改善流域水环境的核心抓手，是长江生态环境保护制度体系中不可或缺的重要内容之一。考虑到《水污染防治法》等同位法以及流域内相关下位法已经对水污染防治工作作出了规定，《长江保护法》在构建水污染防治制度体系的过程中，着力于全方位规范长江流域层面的特殊问题，充分体现了其特别法属性。

（1）建立健全长江流域水环境标准体系

环境标准作为一定时期内国家生态环境政策目标的具体体现，是生态环境保护工作的基本依据。要实现持续改善长江水环境质量这一目标，必须建立健全完备的水环境标准体系。在法治社会，标准化活动属于法律调整的范围，规范标准的制定与实施是法律的任务。《长江保护法》立足于现行的环境标准制度，进一步将长江流域水环境标准体系纳入法治化的轨道。

（2）制定长江流域水环境质量标准

为强化对流域水环境质量的管理，《水污染防治法》专门规定了“流域的省界水体适用的水环境质量标准”。这是从全流域的角度出发，通过对省界断面的监测守住省际出入水的环境质量“关卡”。在此基础上，《长江保护法》进一步规定由国务院生态环境主管部门负责制定长江流域水环境质量标准。从而确认了一类专门适用于长江流域全部区域，介于国家标准和地方标准之间的特殊标准。不仅有利于进一步健全本流域的水环境标准体系、突出标准的流域特色，更是在国家标准、流域省界标准、地方标准的基础上，对改善长江流域水环境质量进一步形成制度倒逼。

（3）严格长江流域水污染物排放标准

《水污染防治法》规定，对国家水污染物排放标准中已作规定的项目，地方水污染物标准“可以”严于国家标准；对于国家标准中未作规定的项目，“可以”制定地方标准。《长江保护法》则明确要求流域省级人民政府“应当”对没有国

---

① 刘佳奇.《长江保护法》中生态环境保护制度体系的逻辑展开[J].环境保护，2021，49(Z1)：36-41.

家水污染物排放标准的特色产业、特有污染物，或者国家有明确要求的特定水污染源或者水污染物，补充制定地方水污染物排放标准。同时，在出现产业密集、水环境问题突出等本法规定的情况下，“应当”制定严于国家水污染物排放标准的地方水污染物排放标准。从“可以”到“应当”，明显反映出本法加严了对流域水污染物排放的标准约束。[①]

7.3 长江水资源开发利用的政策执行

7.3.1 多元主体的协同治理

(1) 推动建立多主体协同治理体系

长江流域面积大，涉及的区域行政单位分割复杂，区内环境、水利、交通、农业、资源、林业等各职能部门在管理上往往各自为政，业务条块化，职能专业化，使得各区域、各职能部门在流域生态环境治理上出现严重的碎片化，这些都大大增加了流域生态环境全面治理的难度。长江流域生态环境的综合治理必须打破条块壁垒，加强区域协同，从长江全流域视角出发，构建以政府管理为主导的长江全流域生态环境多主体协同长效治理体系，从顶层设计上构建流域内各级行政管理部门、行业主管部门通力协作的管控体系；要建立流域内各级行政管理部门、行业主管部门的利益共同体，在此基础上建立起全域统一的利益协同、区域协同、部门协同、技术协同、监督协同、评价协同等六大多主体协同治理体系措施，形成长江流域内各区域各部门生态环境保护与治理的长效统一的综合多主体协同治理体系，充分调动长江流域内各区域各部门生态环境保护与治理的积极性，大力发挥集体力量、集体智慧与通力协作的合作精神。要以保护生态环境、促进人与自然和谐为目的，根据生态系统服务价值、生态保护成本、发展机会成本，综合运用行政和市场手段，协调长江流域生态环境各主体影响因素之间的利益关系。

(2) 多主体协同治理的实施

长江流域生态环境多主体协同治理要依靠顶层设计、常态长效、联防联治、公众监督、利益驱动、路径引领等六大有效建议措施来保证多主体协同治

---

① 刘佳奇.《长江保护法》中生态环境保护制度体系的逻辑展开[J].环境保护，2021，49(Z1)：36-41.

理的有效进行。第一，要做好顶层制度与机制的设计工作，要从顶层制度上建立起一整套常态长效的制度与机制体系；第二，要注重平时的常态管理、长效管理，各项环境保护、生态治理的制度与措施的落实要重在平时，长期坚持；第三，要建立各区域、各部门的联防联治措施，要强化各区域、各部门通力协作、群防群治的合作精神，生态环境治理问题往往不是一个区域的问题，也不是一个部门的问题，要通过广大公民的共同参与才能完成与实现；第四，要重视公众监督的作用，生态环境问题涉及方方面面，时时刻刻，无处不在，要充分调动社会各界、广大公民参与环境监督的积极性，建立起“监督有功，举报有奖”的奖励监督制度，让广大公民人人成为监督环境污染、环境违法的千里眼；第五，要充分利用利益驱动原理，充分考虑生态环境保护与治理各相关利益主体的作用，尊重各方面的利益关系，合理处理各方面的利益需求，通过利益杠杆撬动各方面的积极性；第六，要加强路径引领，政府要为社会各级部门、企业、公民与团体机构提供便捷的生态环境保护与治理的路径渠道，做到参与有路径，监督有渠道，事事有反馈，为环境保护参与者提供便捷的引领路径。①

(3) 多主体协同治理保障措施

为加强长江流域生态环境多主体协同治理的效果，要出台动态管理、会商管理、市场管理、危机管理、责任管理、补偿管理等六大管理保障措施。要建立动态管理保障措施，长江流域自然环境类型复杂、环境问题千变万化，要从长江流域全局动态变化的视角构建各项动态管理措施，建立起应对长江全流域各种环境变化的各项联防联治措施；要建立流域内各级行政管理部门、行业主管部门的会商管理措施，通过集体会商处置各种环境事件；要建立市场调节与管理措施，遵从市场规律，按市场规律办事，能够通过市场解决的事情尽量交给市场解决，以此来调动各相关部门、企业与社会团体的积极性；要建立危机管理措施，设立生态环境危机事件处理预案，提高各项生态环境违纪事件的处理能力；要建立责任管理措施，合理划分责任主体，明确责任追究制度，加强“谁负责、谁管理、谁落实”制度政策，要把责任担当融入业绩评价、绩效考核中去；要建立起补偿管理措施，制定科学合理的生态补偿机制，通过生态补偿激励作用，遵照谁污染谁付费、污染多付费多的原则，从根源上调动各部门生态环境保护的积极性②。

7.3.2 落实长江水资源开发保护政策

围绕长江水资源、水环境、水生态和水灾害问题，在协调长江经济带绿色

① 付景保. 黄河流域生态环境多主体协同治理研究[J]. 灌溉排水学报，2020，39(10)：130-137.

② 付景保. 黄河流域生态环境多主体协同治理研究[J]. 灌溉排水学报，2020，39(10)：130-137.

发展的同时，长江水资源开发保护应把保护和修复长江生态环境摆在首要位置，核心是水的治理，要确保一江清水得以永续利用。在未来的30年，长江水资源开发保护的总体布局如下。

(1) 保护饮用水水源地水质，提高水资源利用效率

长江沿岸重化工企业密布，30%的环境风险企业位于饮用水水源地周边5公里内，水源地供水安全存在隐患和潜在风险。此外，用水效率不高，水资源利用方式较为粗放，节水管理与节水技术还比较落后等也是长江水资源开发利用中亟待解决的问题。针对水源地的保护，应设立江河湖泊水资源保护带与生态隔离带，转移或清退重要水源区安全风险高、环保管理水平差和技术水平低的企业，优化调整沿江取水口和排污口的规模、数量与位置。对于提高水资源利用效率，在“以水定城、以水定地、以水定人、以水定产”的思路下，以水资源承载能力为刚性约束，科学规划经济社会布局，确定科学合理的城镇规模和产业结构，倒逼高耗能企业转变用水方式；同时制定节水高效的农业灌溉与养殖制度，中下游灌溉农田推广节水灌溉，易旱地区发展旱作农业，提高农业节水效率，建立与水资源禀赋和利用条件相适应的节约用水管理体系。

(2) 控制源头污染物，提升污染物处理能力

从根源上降低水环境风险。随着未来长江流域和长江经济带人口的激增、消费品需求的增加、社会经济的发展及水运的发展，诸如点源污染、面源污染和移动源污染的问题将会进一步凸显。降低长江经济带水环境风险最为直接且有效的手段是针对各类污染物的源头控制。对于点源污染源的控制，一方面通过优化工业布局和调整产业结构，减少长江沿线化工等重污染产业，并提高污染物排放标准和不达标工业企业的整治力度，以促进产业技术升级；另一方面，推动长江经济带城镇污水处理及资源化利用工作，减少污染物入江总量。对于面源污染源的控制，实施生态农业工程和因地制宜地推广循环农业模式，控制和减少农田面源污染、畜禽养殖污染、水产养殖污染和农业废弃物等。对于移动源污染源的控制，应提高船舶污染物排放管控标准，淘汰高能耗船舶，推广节能、环保、经济、高效型船舶，同时完善船舶污染事故应急反应体系，以提升船舶突发污染事件的快速反应处置能力。

(3) 营造健康江湖关系，恢复长江水生态功能

受长江上游水电梯级开发的影响，河道水文情势会发生改变，进而影响鱼类群落结构和多样性；同时中下游地区江湖阻隔和生境破碎化也会给鱼类生长繁育带来负面影响。因此，保护和修复长江水生态，恢复长江水生态功能的关键在于营造近自然水文情势和维系健康江湖关系。对于前者，宜制定水量-

水质-水生态联合调控方案，在满足发电、航运等目标的同时，维系河流水流流速、流态、挟沙能力等天然特征，维持河道急流、缓流、环流等多样性生境条件和河段的冲刷淤积平衡，以保障目标鱼类繁殖的水文情势；对于后者，在已有河湖水系的基础上，通过疏导、沟通、引排、调度等水系连通工程或措施，改善长江中下游河流、湖泊、湿地等水体之间的水力联系，维持满足鱼类生长繁育需求的流动水体及其相互联系的物质循环通道，进而恢复健康的江湖关系，促进江湖休养生息，维护江湖生态功能。

(4) 规避旱涝风险，破解“人水争地”和“人地争水”矛盾

在经济社会的快速发展背景下，长江流域和长江经济带水土资源开发强度会进一步增加，“人水争地”和“人地争水”的矛盾将会日益凸显，“小旱小涝成大灾”现象日趋突出，干旱和洪涝的危险性被人为放大。确保长江安澜是经济高质量发展的重要保障，为此，需进一步降低旱涝风险并提高针对旱涝事件的应对能力。在旱涝风险的源头规避方面，应在对未来旱涝特征发展趋势进行研判的基础上，进行旱涝灾害风险区划，以此为依据，优化社会经济的空间布局，从源头上降低旱涝灾害风险的暴露性和脆弱性，进而整体上降低旱涝灾害风险；在旱涝过程集合调控方面，需认识到洪水是自然水循环的重要组成部分，拥有水资源的基本属性，既是人们生活和生产重要的水资源，也是改善水环境、修复水生态的水资源。基于这一理念，以地表-土壤-地下立体系统为调控对象，以汛期-非汛期为调控时段，以空间上的立体调蓄与时间上的峰蓄枯补为调控路径，削减洪峰和涝水，增加干旱时段水资源量，充分发挥洪涝的资源化利用潜力及“涝为旱用”的作用。①

7.3.3 加快实施长江水权政策措施

水资源使用权的三个方面(取水权、用水权、排污权)分别对应最严格水资源管理制度“三条红线”——水资源开发利用控制红线、用水效率控制红线和水功能区限制纳污红线。新时期的水权制度应将水权的使用与最严格水资源管理制度有机结合起来，并以“三条红线”作为水资源使用权的重要约束。

(1) 以取水权制度控制用水总量

应当完善取水许可制度、取水转让制度，深化取水许可管理，推进全流域取水许可电子证照管理；以水定产、以水定城，促进经济社会发展与水资源条

① 吴志广，袁喆. 适应长江经济带绿色发展的长江水资源开发保护总体战略[J]. 长江科学院院报，2021，38(7)：132-136，142.

件相协调，对达到或超过取用水总量管控指标的流域区域，实施取水许可限批；制定取水权终止管理规定，明确规定取水权的使用期限和终止时间等。建立长江上游取水许可负面清单制度、取水工程整改提升制度，完善水资源费(税)征收管理制度，完善地下水管理制度。

(2) 以用水权制度推动水资源高效利用

一是根据上游水资源的多用性，设立立体性水资源使用权，兼顾河道内、河道外用水，以达到合理利用的目的。建立区域、行业用水矛盾的协调仲裁机制等。二是完善节水制度，包括用水定额制度、用水定额指标体系、节水型载体创建制度、非常规水利用制度、再生水回用制度等。三是建立生态用水管理制度，突出生态用水的地位；建立健全生态补偿制度，强化生态补偿义务，包括下游对上游、受水区对水源区的补偿。四是制定灌区管理、耕地灌溉管理、农业节水激励等制度，提高长江上游农业用水效率。五是建立用水权登记机制和水资源用途管控制度。六是建立突发事件的公共用水制度。

(3) 以排污权制度明确纳污红线

由于水资源具有“量”和“质”的双重属性，把排污权纳入水权，从而使水权管理与水资源保护成为有机整体。应当完善控污排污制度，包括排污浓度控制与排污总量控制制度、入河排污口管理制度、污染事件责任追究制度、污染限期治理制度、排污行为现场检查制度以及其他各项排污管理制度，对企业准入设置减排门槛等。完善细化水资源和水环境保护制度，包括水功能区划管理和保护制度、区域水环境容量分配制度、水环境影响评价制度。建立排污权与水权的转换制度，如超标排污折减水量或者超标用水折减排污权①。

7.3.4 水资源配置与用水管控制度体系

《水法》《国务院关于实行最严格水资源管理制度的意见》《水污染防治行动计划》《水利部关于做好跨省江河流域水量调度管理工作的意见》等相关法律、法规和规章对水资源配置与用水管理已有相关规定，《长江保护法》对长江流域水资源配置与用水管理作出了补充和细化规定。

(1) 落实最严格水资源保护制度

长江是水资源相对丰富的流域，水资源管理存在的突出问题是由水污染引起的水质性缺水，根源是污染总量大、污染源多、水资源利用效率不高。因此，在长江流域进行最严格的水资源管理，必须将“三条红线”捆绑在一起，并

① 罗伟伟，刘明. 长江上游水权制度建设框架构想[J]. 长江技术经济，2020，4(4)：14-19.

加强水利工程的科学调度。水功能区管理目标达标，可以增加可供水量，水质性缺水问题就可以很好地得到解决；用水效率提高，可以减少用水总量和入河排污量；用水总量控制好，也可以促进用水效率的提高和减少排污量。

实行最严格的水资源管理。健全规划水资源论证、计划用水、取水许可、水资源有偿使用等制度，严控用水总量。推行用水定额管理，落实节水设施“三同时”制度，提高用水效率。加强水功能管理和排污口管理，强化饮用水水源地保护，实行纳污总量控制，改善江河湖库水体水质。完善省、市、县“三条红线”控制指标体系，把相关指标落实到江河控制断面、各级行政区。强化指标刚性约束，将水资源承载能力作为区域发展、城市建设和产业布局的重要条件。实行严格的监管措施，让水资源管理“红线”真正成为水环境的“警戒线”、水生态的“保护线”。

(2) 明确水量分配方案或用水总量指标

长江流域用水总量控制必须与水功能区管理目标相结合，长江流域水量分配或者用水总量指标确定应包括以下五个方面：一是确定流域或者行政区域水资源可利用总量或者可分配水量；二是确定各行政区域的用水份额及其相应的河段、水库、湖泊和地下水开采区域控制指标；三是确定不同来水频率或保证率的各行政区域年度用水量及相应的调度计划；四是确定预留的水量份额及其相应的河段、水库、湖泊和地下水开采区域要求；五是确定跨行政区域河流、湖泊的边界断面流量、生态流量、最小流量、预警流量、最小控制水位、水质指标等，以及跨行政区域地下水水位和水质等控制指标。

(3) 完善水资源管控的配套制度

长江流域水资源管控除水量分配方案以外，还需要建立相关的配套管理制度。同时，要加强水量调度管理，从长江流域全局角度谋划布局水资源配置体系，推进一批基础性、战略性重大项目建设，如南水北调西线的前期工作，南水北调东线二期工程、引江补汉工程的建设，构建现代化国家水网。严格用水总量管理，严控水资源开发利用强度，完善规划和建设项目水资源论证制度，合理确定经济布局、结构和规模，研究提出长江流域实施取水许可负面清单制度。建立水资源刚性约束制度，建立刚性约束指标体系和政策体系，水资源的规划、配置、开发、利用、保护、调度和管理要以节约用水、合理用水、科学用水为前提，促进水资源可持续利用。制定用水效率管控、用水定额评估管理、重点监控用水单位监督管理等制度，要把节水评价贯穿于经济社会发展和生产生活全过程，抑制不合理用水需求，严控水资源消耗强度，减少废污水排放，降低对水生态的损害。完善水资源管理责任和考核制度，将水资源开发利用、节约和保护的主要指标纳入地方经济社会发展综合评价体系，县级以上人民政府主要负责人对本行政区域水资源管理和保护工作负总责。从制度上推动长江流域经济社会发展与水资源水环境承载能力相适应。①

7.4 长江水资源开发利用的监督管理

7.4.1 强化流域水资源保护事务管理

以生态流量保障和饮用水水源地保护为抓手，强化流域水资源保护事务管理。

第一，加强河湖生态流量水量保障。切实维护长江水生态健康，持续推进长江流域重点河湖生态流量目标确定与管理。加快推进河湖生态流量管控目标确定，按照分级管理权限，加快制定长江干流、重要支流和重要湖泊以及其他河湖生态流量管控断面与指标，编制生态流量保障实施方案。加强河湖生态流量目标保障落实，强化生态流量保障实施方案组织落实，通过调度上游水工程和管控河道外经济社会用水来实施河湖年度水量调度管理。加强水工程生态流量监管，长江干流、重要支流和重要湖泊上游的水利水电、航运枢纽等工程应当将生态用水调度纳入日常运行调度规程，建立常规生态调度机制，加强对水工程下泄流量和设施的监管。加强河湖生态流量监测监控，依托长江流域生态流量监管平台，对主要控制断面实时生态流量（水位）等信息进行动态监管，建立生态流量预警响应机制。加强河湖生态流量监管考核，深化流域生态流量管理制度研究，组织开展生态流量日常监督检查，组织实施生态流量保障考核评估，建立生态流量评估考核机制。

第二，推进重要饮用水水源地保护。以保障长江流域饮水安全为主线，有序推进饮用水水源地保护。强化长江流域饮用水水源地名录管理，建立流域水源地名录台账，实施水源地名录动态管理并科学认定，建立名录退出和新增管理机制，做好流域现有名录水源地的复核。继续开展流域饮用水水源地安全保障达标建设评估，建立水源地安全保障问题通报和整改销号制，加快整改提升，推进水源地取用水精细化管理，确保供水安全。全面推进应急备用水源

① 《长江保护法》要点解读十：水资源配置与用水管控[EB/OL].（2021-11-23）[2022-03-22]. http://www.yueyang.gov.cn/fgw/8739/8761/24121/64657/content_1889694.html.

建设和管理，建立城市应急备用水源建设情况台账，落实《长江经济带沿江取水口、排污口和应急水源布局规划》，加强应急备用水源建设督导。建立长江饮用水水源地风险评估制度，开展饮用水水源地潜在风险源调查与复核，构建点源、面源、移动源风险源评估体系，评估提出重要饮用水水源地准入及退出的意见。

第三，推进河湖水生态保护与修复。持续推进美丽长江建设，加强长江水资源和水生态环境保护。编制长江流域生态环境修复规划，明确河岸带生态修复、河湖湿地保护、水生生境修复、水生态综合治理等规划措施，组织实施长江涉水重大生态环境修复工程，维持水生态系统良性循环。制定并组织实施长江干流和重要支流的河湖水系连通修复方案，因地制宜开展河湖水系连通布局规划与设计，加大太湖、鄱阳湖、洞庭湖、巢湖、滇池等重点湖泊和丹江口水库、三峡库区水生态环境保护与修复措施的研究与实施，逐步改善长江流域河湖连通状况。

第四，加强地下水资源保护。夯实地下水监管基础，组织开展地下水资源状况调查评估，监测地下水水量、水位、水环境质量。加快长江流域地下水管控指标确定工作，初步形成长江地下水监管“一张图”。严格控制流域与区域地下水开采总量，减少地下水开发利用程度较高地区的地下水开采量，实现地下水的采补平衡。加强地下水保护与修复，保障地下水资源安全。

7.4.2 建立流域水资源保护刚性约束

以评估制度为手段，建立流域水资源保护刚性约束。开展评估工作是串联水资源开发、利用、保护和管理的重要环节。新时代水资源保护管理工作要以实施评估为手段，评估水资源现状及开发利用活动对水资源保护的影响，落实好流域水资源保护监督工作。持续推进水资源环境承载能力评价，以水资源环境承载状况评价作为现状分析的基础工作，依据流域水资源承载状况评价结果，结合现状水量、水质、水生态状况，提出保护和治理的目标要求。加强地下水资源状况评估，评估地下水水源地水质现状、污染状况、保护区划分状况，重点调查评估地下水重点污染源及周边地下水环境风险隐患。建立绿色发展评估机制，做好流域综合规划、建设项目规划中的水资源保护落实评估。构建水资源保护方面的绿色发展评估指标体系，提出水资源保护绿色评估方法；将水资源保护中的生态流量保障率、饮用水水质达标率作为流域规划、重大建设规划的约束性指标，落实生态优先和绿色发展理念，努力推进区域高质量发展。

建立排污企业环保诚信制度，加强水功能区监督管理，充分发挥流域机构在生态环境保护工作中公平公正的作用，严格控制水功能区内建设项目的水行政审批。对不符合水功能区划、保护区规划的入河排污口坚决不予受理审批，已存在的入河排污口限期取缔，在源头上遏制水污染发展势头。推动排污企业环保诚信制度的建立，形成重点监督对象名单，落实考核机制，实行相应的考核。积极联合地方主管部门开展联合执法行动，严厉处罚偷排漏排、伪造在线数据等行为，并将违法企业列入重点监督对象，在入河排污口监督管理工作中突出重点。加强不达标水功能区的日常巡查，发现未经审批而设立的入河排污口，坚决予以取缔；对依法设立的入河排污口，依法加强入河排污口监督检查和监督性监测，发现偷排漏排、超标排放等违法行为，依法严处，限期整改。

积极推动长江下游重要水源地封闭化管理及备用水源地建设，充分发挥流域机构的监督职能，开展饮用水水源地专项检查行动，推动地方加强对饮用水水源地保护的重视和投入，对有条件的饮用水水源地进行封闭化管理，对不具备条件的饮用水水源地加强日常巡逻和管理，预防和杜绝水源地保护区内的各类违法行为。开展备用饮用水水源地专项评估，对备用水源地水质水量、日常管理、应急处置等进行综合检查，促进各地市备用水源地规范化建设，保证备用水源地应对突发性事件的能力。充分发挥流域机构的协调作用，大力促进各地级市之间区域性水源地建设工作，以长江下游为例，太仓浏河水库不但可以作为太仓市的水源地，也可以作为上海市的备用水源地；青草沙水源地在作为上海市的水源地的同时，也可以作为南通市的备用水源地。这样不仅可以有效解决备用水源地水质不达标、管理困难的窘境，还可以节约备用水源地建设成本①。

7.4.3 健全流域水资源保护长效机制

以制度机制为保障，健全流域水资源保护长效机制。推进长江流域水资源保护制度机制建设，提升长江水资源保护管理能力，加快推进治江体系和治江能力现代化。加强水资源保护法规制度建设，推进《长江保护法》中生态流量保障、饮用水水源地保护等配套法规和制度建设。研究提出新时代水资源保护立法框架、主要制度内容。健全水资源保护管理机制，机制建设是实现共抓大保护的重要平台，要构建部门分工负责、协同联动以及上下游协作的保护监管机制。健全流域生态保护补偿机制、公众参与机制等。加强水资源保护监测监控，建立和完善以“水资源质量、生态水量、水生态”为重点的水资源保护监测体系，并对重要断面、重点区域实施重点监测，依托“水利一张图”构建

① 林剑波，蒋海涛，陈银川，等. 长江下游地区生态环境监督管理工作实践研究[J]. 长江技术经济，2021，5(5)：48-51.

水资源保护监管平台[①]。就"节水优先、空间均衡、系统治理、两手发力"的治水思路而言，谋划好新阶段水资源管理工作的主要任务和要求需充分把握以下几点。

（1）加强水资源节约集约利用，突出节水优先，全面提高水资源利用效率

一是坚持和完善分区域水资源高效利用制度，各流域、各地要因地制宜，建立与当地水资源条件、经济社会发展状况相适应的水资源节约目标，科学、动态地确定用水定额和节水指标。二是以县级行政区为单元，推进节水型社会建设，严格用水的全社会管理，强化区域、流域用水总量和用水强度的控制。三是以用水定额管理、节水指标为抓手，以农业节水增效、工业节水减排为重点，强化节水技术推广应用和节水政策引导，从加强单个用水户节水行为的管理，扩大到推进区域产业结构的调整，加快推动重点领域生产用水方式由低效向高效集约转变，加快促进高耗水行业绿色转型和升级改造。四是建立节水激励机制，落实节水的激励政策，强化节水内生动力，使节水真正成为水资源开发、利用、保护、配置、调度的前提条件，成为全社会自觉、自愿、自动的行为。

（2）加强水资源优化配置，促进空间均衡，提高水资源保障能力和水平

一是突出抓好饮用水水源保障和保护。根据区域经济社会发展状况，有计划地推进直饮水工程建设，优水优用，保障人民群众获得高品质、可直接饮用的水和服务。要做好水源安全保障、备用水源建设工作，加强突发水污染事件联防联控，提高应急能力，守住"不发生系统性风险"底线，确保人民群众饮水安全。二是要加快构建国家水网，加快建设一批重点区域水资源调配工程、重点水源工程、江河湖库水系连通工程，合理规划布局跨流域调水工程，合理配置各种水源，加强水资源科学调度，提高水资源空间配置和均衡的能力，提高供水安全保障水平。根据区域发展的定位和目标要求，提供差异化的供水保障服务，从水源的供给侧促进用水方式的转变和产业结构的转型升级。三是发挥水资源的刚性约束作用，抑制不合理用水需求。根据地表水、地下水取水总量指标、外流域调水指标、常规水利用指标等，建立区域水、人、产、地、城等要素综合统筹协同调控制度，以水而定、量水而行。四是以管住取水口为关键，全面加强取水工程监管，规范取用水行为，实行水资源超载地区取水许可限批，解决无序取水、过度取水、非法取水的问题，使江河湖泊、地下水的开发利用限定在可开发利用范围以内，保障水资源开发利用的可持续性。

---

① 刘扬扬，王孟，邓瑞，等.《长江保护法》施行后流域水资源保护的思考[J].人民长江，2021，52(10)：135-140.

(3) 加强水资源保护，推进系统治理，着力解决水资源领域突出问题

一是要建立和完善河湖红线管控体系，严格生态流量水量水位、河湖水域空间、入河排污总量管理。二是要系统地开展流域水生态修复治理，全面加强对河道断流、湖泊萎缩、水体污染等水生态水环境问题的治理，多渠道加大河湖生态补水，强化水生态治理与保护修复，推进河湖水系连通，改善或恢复江河湖库水系之间的水力联系，逐步恢复河湖水系完整性。三是推动地下水超采区治理，以京津冀地区为治理重点，扎实推进华北等地区地下水超采综合治理，解决水资源过度开发、无序开发等问题。

(4) 深化水资源领域改革，强化两手发力，提高水资源管理能力和活力

一是全面推行水资源税改革。发挥税收刚性作用，倒逼规范取用水行为，促进水资源节约保护和优化配置。二是深入推进取水许可"放管服"改革。依托政府一体化在线政务服务平台，全面推行取水许可电子证照，实现"一网通办、信息共享"，进一步优化行政审批程序，提高审批办事效率和服务水平。三是健全完善水资源资产产权制度。积极稳妥地推进水权确权，培育发展水市场，发挥市场在优化配置水资源中的作用。四是深化水价改革。深入推进农业水价综合改革，建立完善促进节约用水的供水价格形成和调整机制，逐步回归水价的市场属性。

7.4.4 做好新阶段水资源管理工作的基础和保障

(1) 加快构建水资源管控指标体系

建立完善江河流域地表水和地下水开发利用和管理的刚性约束红线指标，解决水资源过度开发的问题，需要在"三条红线"的基础上，建立完善相对完整、易于操作的水资源管控指标体系，明确水资源开发、利用、管理、保护的边界。一是加快河湖生态流量确定，明确生态用水和人类经济社会发展用水的边界。二是加快推进跨行政区江河水量分配，明确各行政区域河道外可分配水量、水量分配份额、跨行政界和其他重要控制断面下泄水量和流量控制指标，明确流域可以外调的水量。三是全面实施地下水开采总量与水位双控，明确省、市、县级行政区地下水开发利用总量控制目标和地下水水位管控指标。四是建立和完善分区域非常规水利用量配额制，根据不同地区水资源紧缺程度和非常规水资源利用潜力，对非常规水资源供水占比或供水量作出明确规定，强化水的循环利用。五是合理调整用水总量和用水效率控制指标，根据水资源条件和经济社会发展水平，因地制宜、动态调整和分区优化用水总量红线目标和分阶段控制性指标，发挥区域水资源的比较优势。

(2) 加快水资源管理制度建设、完善和实施，提高依法管理水资源的能力

一是加快完善水法规体系。强化科学立法、民主立法，加快推进水法的修订，加快水资源刚性约束制度的研究和建立，加快水资源节约、保护、调度等方面的立法进度，加快取水许可、水资源税费、地下水禁限采区管理等方面制度的修订。二是强化水法规、水资源管理制度的落实。将依法管理贯穿于水资源管理的全过程，提高执法能力，规范行政执法行为，全面提升水资源管理的法治化、规范化、制度化水平。三是强化对水资源管理权力运行的制约和监督，完善权力和责任清单，加大信息公开力度，增强全社会水法治意识。

(3) 构建"数字水资源"信息化体系，提升水资源管理支撑保障能力

适应信息化、数字化技术的迅猛发展，在智慧水利的框架下，以构建"数字水资源"为目标，加快水资源领域信息化、现代化步伐。一是加强对水资源信息的立体、实时感知。在已有水文水资源监测站网的基础上，实现对河流、湖泊、地下水、规模以上取水口、河湖重要断面的水文水资源要素的全面监测，实时获得水资源和取用水数据。二是实现水循环、取用水情况数字模拟和信息动态统计。完善水利大数据平台和水循环水文水资源模型，对流域区域水循环过程、"取用耗排"过程进行动态、精细模拟，实现水资源实时动态统计。三是实施动态预警。加强对重要水源地、河湖重要断面、地下水重点开采区和超采区等的监测预警，及时准确掌握动态变化，强化预警和管控，对水资源灾害实时动态预警。四是实现水资源动态调度和管控。融合气象大数据、水利大数据，根据区域经济社会发展情况和水资源管控指标，发布水资源预报，形成基于水资源量、开发利用量、重要断面流量(水位)的流域(区域)水资源"一张图"，对水资源实施动态调度和管控。

(4) 完善考核、监督和评估机制，促进水资源管理目标的实现

一是进一步发挥考核的指挥棒作用，坚持问题导向和目标导向，进一步完善考核方案，优化考核指标，改进评价方式方法，丰富和优化考核检查手段与方式。二是强化日常监督检查，优化检查方式，明确检查重点，突出水资源管理在高质量发展作用发挥、水问题解决等方面的检查督促作用。三是建立完善评估机制，围绕生态流量保障、水量分配方案、地下水管控、取用水总量和用水效率控制等重点工作目标，开展常态化的管理成效评估，推动水资源管理目标的实现①。

---

① 于琪洋. 贯彻新发展理念 谋划好新阶段水资源管理工作[J]. 中国水利，2021(6)：62-64.

08

第八章

完善长江水生态保护修复的政策建议

8.1 长江水生态保护修复的制度设计理念

在创新长江水资源优化配置的制度设计理念的基础上,长江水生态保护修复的制度设计理念主要还包括协同共治、技术支持和再野化理念。

8.1.1 协同共治理念

在长江经济带流域生态修复的过程中,统筹区域治理结构和安排对实现全流域的可持续发展具有重要影响,特别是应当加强促进区域协调发展和省际系统的立法探索,逐渐形成一套区域发展法律法规体系。基于此,在立法形式上,除中央立法和地方立法之外,还可以选择区域立法。所谓的区域立法是指,特定区域内省际立法机关在管理区域社会事务、提供区域公共服务或谋求区域共同利益等方面自愿进行立法活动的总称。《中华人民共和国立法法》并没有规定区域立法权,即在中央立法和地方立法外并不存在“第三种立法权”,这意味着地方立法机关在跨区域立法上缺乏直接法律依据。所以,一直以来,在对区域一体化开展法律治理时,通常采用区域行政协议、区域性组织、区域行政规划和区域行政指导等形式,但受限于地方保护主义以及与区域事项的匹配性,这些形式很难承载起越来越庞杂的治理功能。因此在实践中,区域立法成为一个备受关注的尝试,如:2006 年东北三省签署了《东北三省政府立法协作框架协议》;2017 年京津冀三地人大常委会通过《京津冀人大立法项目协同办法》确立了人大立法项目协同机制,这是我国首次省际人大协同立法;长三角是我国区域一体化程度较高的区域,《长江三角洲区域一体化发展规划纲要》(2019 年)明确提出全面推进产业、基础设施、生态环境、体制机制等重点领域一体化发展。随着区域经济的发展,区域合作的常态化越来越需要健全的法律保障体系。长江经济带流域内各省市对于流域生态保护补偿的利益诉求是不一样的,因此采取和制定的措施、手段也就“八仙过海,各显神通”,结果使得省内流域生态保护补偿杂乱无章,省际流域生态保护补偿寸步难行。一方面,流域的整体性要求 11 个省市突破原有行政区划和行政管理体制的条条框框;另一方面,地方政府有责任提供良好的生态环境,但其职责仅限于本行政区域内的环境保护,对其行政区域范围外的环境保护缺少法律责任的规范和利益驱动。针对长江经济带流域生态保护的地方立法或配套法规位阶较低,地方立法不一致甚或冲突的情况较多,这些都可以通过区域立法来弥补,最终形成由中央立法、区域立法、地方立法构成的多层次、多元化的流域生态保护补偿法律体系①。

8.1.2 技术支撑理念

长江流域生态修复离不开技术支持，将环境修复技术原理使用妥当才能够使环境恢复得更快，这项技术就是对被污染的水源进行控制，逐步恢复水质从而改善水环境。与修复相比，河流和湖泊管理分为两个阶段和不同级别，其目的、使用原则、技术形式、使用的物种以及调整的数量都有所不同，发达国家的河流管理在控制污染和改善水质方面完成程度比较高，莱茵河和泰晤士河便是成功的案例，河流和湖泊管理思路已从"完全控制污染"变为"回收和恢复水环境"，从"控制水污染"变为"维系周围环境的质量"，同时也会定期研究并应用河流和湖泊的环境修复技术，例如在日本，有很多地方就是运用这一技术将被污染的水源恢复。在最初阶段，河流与湖泊在城市里具备多种用途，比如成为风景区、用于环境改善等。后来工业逐渐发展，这就导致河流与湖泊被严重污染，河流与湖泊成为洪水和污染的根源。随着经济发展水平的提升，人们逐渐认识到江河和湖泊的生态环境对于可持续的环境、文化及社会经济发展的重要性。当谈到控制河流和湖泊的水污染时，生物控制和环境恢复的思想已深深根植于人们的心中。恢复河流和湖泊环境的主要思路是恢复河流和湖泊系统的结构和功能，提升生态系统恢复力和环境承载力，并寻找稳定的、环境友好的改善环境的方式，使河流与湖泊的演替规律变成生态友好之地。与此同时，这样也能够建设比较稳定的生态环境，能够进一步保护自然环境②。

8.1.3 再野化理念

从采集狩猎文明，到农业文明，再到工业文明，人类利用和改造自然的能力越来越强，对生态系统原真性、完整性、连通性的破坏程度也越来越高。如今已到达临界值，如果无法扭转生物多样性的丧失曲线，生态危机将会成为人类的生存危机。再野化是指对受到较多人为干扰的自然生态系统的重建过程，即通过修复自然过程和所有营养级上完整或接近完整的食物网，使其成为自我持续且具有韧性的生态系统，其中会使用到若没有发生干扰仍会存在的

---

① 陈玉梅，李德学. 长江经济带流域生态保护补偿制度的立法完善[J]. 云南民族大学学报(哲学社会科学版)，2020，37(4)：153-160.

② https://baijiahao.baidu.com/s?id=1729363267698770277&wfr=spider&for=pc.

物种，这将涉及人与自然之间关系的范式转变。再野化的最终目标是在减少人类控制和压力的同时，恢复功能完备的本地生态系统（包括在所有营养级中的各类物种）。再野化后的生态系统在可能的情况下应该是自我维持的，即它们不需要或只需要最低程度的管理（“自然在做它该做的事”）。同时应认识到生态系统是动态的。在欧洲，再野化也成为自然保护的一个核心议题，其原因在于近年来欧洲出现了大量农业用地废弃以及野生动物回归的现象。再野化通常发生在农田、矿场等土地废弃频繁的区域，这催生了主动或被动的再野化行动，通过减轻人类活动对生态系统的干预和影响，维持或增加生物多样性，恢复自然生态系统的荒野属性。再野化与长江经济带生态保护修复理念高度契合，也与我国提出的“人与自然是生命共同体”等生态文明思想高度契合。我国已经开展的生态保护修复实践为再野化提供了基础，例如退耕还林、退牧还草、物种引入等。此外，国土空间规划、建立以国家公园为主体的自然保护地体系、山水林田湖草生态保护修复工程等的重要实践，也为再野化提供了新的历史契机①。

8.2 长江水生态保护修复的制度框架体系

8.2.1 明确长江生态修复的法律法规体系

(1) 强化流域生态保护在宪法和环境基本法中的地位

通过流域统筹治理条款明确流域生态保护补偿的宪法地位。当前，生态文明入宪的工作已经完成，加上《中华人民共和国宪法》（以下简称《宪法》）中的自然资源权属条款和国家环境保护义务条款，已经在基本法层面完成了生态环境保护的体系化任务。这些内容对长江经济带生态保护补偿法律制度具有很强的宪法指导作用。但若站在生态文明建设法治化的立场重新审视《宪法》，《宪法》还应当对流域、区域的统筹治理问题明确其基本立场，通过这一开放式的条款吸纳生态保护补偿等微观的治理事项。通过细化环境基本法的生态补偿规范条款强化其约束功能。《中华人民共和国环境保护法》（以下简称《环境保护法》）的生态补偿条款较具原则性和笼统性，未能形成系统化和体系化的制度架构，尤其对补偿主体、补偿标准、补偿程序以及纠纷解决途径和责

① https://baijiahao.baidu.com/s?id=1714356360826701314&wfr=spider&for=pc.

任承担等没有明确的要求或指导，可操作性较差。基于此，应在环境基本法中明确这些基本内容，为生态保护补偿提供全方位、多层次、全链条的指引[①]。

（2）修改流域生态保护补偿相关法律

以流域生态保护补偿的关联程度为依据，可以将现有法律法规分为水资源保护利用类法律和其他相关部门法两类。第一，水资源保护利用类法律的修改与流域生态保护补偿密切相关的法律主要有《水法》、《水污染防治法》、《中华人民共和国海洋环境保护法》（以下简称《海洋环境保护法》）等，它们对水资源进行调整和规范的角度及侧重点各有不同。这一类法律主要明确生态保护补偿的概念、原则、机制等，用以规范和调整流域生态保护补偿行为。《水法》主要从水资源的保护、利用等方面对流域生态保护补偿进行规定；《水污染防治法》主要从水环境的治理和改善水环境的角度对流域生态保护补偿进行规定，但要与生态损害赔偿予以区分；《海洋环境保护法》主要从内水和海洋生态的整体性考虑设计相应机制。上述法律有关流域生态保护补偿的规定共同构成流域生态保护补偿的主要内容。从法理上来说，水权的确权问题是流域生态保护补偿的基础和前提，水权权属清晰可以避免"公地悲剧"。我国的《水法》没有对生态保护补偿进行明确规定，导致在长江经济带流域生态保护补偿的实践过程中，流域的资源属性和生态属性都没有得到重视。《自然资源统一确权登记暂行办法》（2019年）的出台，从制度上解决了水权权属不清的问题。根据该办法，可以对长江经济带流域按流经省市进行确权登记，清晰划分11个省市各自代理行使长江流域段资源所有权并承担附带的保护责任。在此基础上，通过修订《水法》进一步明确水权在区域间的分配，将水权的公共属性和取水权的物权属性统合考虑，以保障流域资源的经济价值与生态环境价值在一个权利体系中得到整合，进而通过配置水权交易制度来实现权利和附带义务在不同主体之间的流动。基于这一整合性权利体系，《水法》理应从水自然资源保护、利用的角度对生态保护补偿进行优化。第二，其他相关部门法的修改。生态保护补偿还需要修改和完善其他部门法，以《中华人民共和国刑法》（以下简称《刑法》）有关破坏环境资源保护罪的具体规定为例，我国刑法的立法目的重点是关注和保护生命、健康、财产安全等传统权利，对生态环境系统的保护以及环境权的保护功能不足。环境权的兴起要求将生态环境利益纳入《刑法》的规范和调整范畴，释放扩展《刑法》关于破坏环境资源保护罪立法目的，进而

① 陈玉梅，李德学．长江经济带流域生态保护补偿制度的立法完善[J]．云南民族大学学报（哲学社会科学版），2020，37(4)：153-160.

对相关条款进行立法完善。《刑法》虽然将环境犯罪独立列出进行规定，但还是会出现“案子办了，人也判了，污染依旧”的局面，主要原因就在于环境犯罪的构成要件上没有贯彻和落实生态保护的指导思想。有些罪名保护的客体仍然是传统的人身权和财产权，对生态利益的损失缺乏有效的回应机制。为了发挥《刑法》和刑罚的打击功能，为生态环境利益保护加固最后一道防线，有必要将生态保护补偿实践中的相关失范或违法行为纳入《刑法》的调整范畴，并将生态修复等因素作为定罪量刑的参酌因素。实践中，司法机关已经开始探索相关的工作机制，比如2018年环境资源类犯罪统计数据显示，检察机关联合其他有关部门建立了2 000多个生态环境恢复性工作机制和400多个生态环境修复基地，当事人缴纳了近4亿元的生态修复费用。除了要完善《刑法》这种后端解决机制，还要推动生态保护补偿法律的体系化，同时应注重发挥前端的私法机制的确认和约束功能。①

（3）推进流域生态保护补偿的专门性立法

第一，从世界范围的立法例来看，常见的生态保护补偿立法模式有三种：一是生态保护补偿专项立法模式，对生态保护补偿进行全面系统的规定；二是采取分散立法模式，由多部法律根据调整对象对各类生态保护补偿分别进行规定；三是采取生态保护补偿基本法和单行法并举模式。笔者认为，生态保护补偿对象比较广泛和复杂，具体工作涉及财政、发展改革委、林业、水利、自然资源、生态环境等多个职能部门，采取生态保护补偿专项立法难以对所有类型的生态保护补偿进行全面规制。同样地，现行的分散立法模式已被证明无法在生态保护补偿实践中解决那些基础性、程序性补偿冲突问题。因此，建议采用生态保护补偿基本法与单行法并举模式，修改现行《宪法》和环境基本法律，尽快颁行生态保护补偿单行法及其配套规范，统一对流域生态保护补偿的目的、原则、程序、途径、标准、救济等，以及流域生态保护补偿的主体、对象、范围、方式、法律责任等方面作出规定。国家其他相关部委可以根据需要制定生态保护补偿方面的行政规章。

第二，建议制定专门的“生态保护补偿法”，通过专门性法律的形式确定生态保护补偿，将流域生态保护补偿设置专章予以规定，有利于从根本上改变长江经济带流域的生态修复问题，牢固树立“生态有价”观念，打破“生态受益者无偿使用、生态保护者‘只保护无补偿’”的不合理现象，也为长江经济带流域

---

① 陈玉梅，李德学．长江经济带流域生态保护补偿制度的立法完善[J]．云南民族大学学报（哲学社会科学版），2020，37(4)：153-160.

生态保护补偿的行政执法提供法律依据，同时也可以为生态保护补偿的程序化和法治化创造有利条件。制定“生态保护补偿法”应当和现行环境法律法规有关补偿的规定关联在一起，将生态保护补偿类型化，明确其联系和区别。相互联系是指“生态保护补偿法”作为生态保护补偿的专项法律，应当与《水法》《水污染防治法》《中华人民共和国水土保持法》等法律保持一贯性联系，不能相互矛盾和冲突。相互区别是指“生态保护补偿法”还应当涉及其他法律不能解决的法律难题，尤其是现有法律未能关注到的流域内跨区域性的生态保护补偿问题，应成为专项立法的重点。

第三，建议在《长江保护法》中补充流域生态保护补偿相关条文。推进长江保护立法是当前我国加强长江大保护、塑造流域法治格局的重要举措。域外的经验也表明，为大江大河制定专门立法能在全局意义上将区域治理和流域治理、中央和地方关系、省际关系等核心关系统合在一起进行综合考量。《长江保护法》分为总则、规划与管控、资源保护、水污染防治、生态环境修复、绿色发展、保障与监督、法律责任以及附则等九章，明确规定了国家要建立长江流域生态保护补偿制度，并划定长江流域生态保护补偿区域，具体补偿办法由国务院财政部门会同国务院有关部门制定。还明确了几种补偿方式，即长江流域横向生态保护补偿、社会资本参与的生态保护补偿基金、责任主体协商补偿。《长江保护法》为长江流域生态保护补偿的法治化提供了保障。但是，《长江保护法》未将长江流域生态保护补偿行为纳入法律责任体系中，以至于流域生态保护补偿的执行力大打折扣。长江流域当前最大的问题是生态修复与保护，而流域生态保护补偿制度是促进长江流域修复和保护的有力措施和制度，因此，应当制定流域生态保护补偿的法律责任，完善相关的民事责任、行政责任甚至刑事责任规定。①

8.2.2 重点关注流域性污染源的防治

对于长江流域而言，虽然许多水污染问题是全国范围内的共性问题，但也有相当一部分属于本流域自身的区域性、结构性问题。在全国性立法和地方性立法对全国范围内的共性问题及本区域内的个性问题分别作出系统性制度设计的情况下，《长江保护法》聚焦流域性水污染问题的防治，在抓重点、补短板、强弱项上下功夫。

---

① 陈玉梅，李德学. 长江经济带流域生态保护补偿制度的立法完善[J]. 云南民族大学学报(哲学社会科学版)，2020，37(4)：153-160.

(1) 抓住污染源这一重点

当前,长江沿江区域存在涉磷产业无序发展的问题,造成支流及干流总磷严重超标。为消除这一重大水污染隐患,《长江保护法》要求流域省级人民政府制定并组织实施本行政区域的总磷污染控制方案。对磷矿、磷肥生产集中的长江干支流,有关省级人民政府应当制定更加严格的总磷排放管控要求,有效控制总磷排放总量。同时,对于磷矿开采加工、磷肥和含磷农药制造等“涉磷”企业,应当按照排污许可的要求采取有效措施控制总磷排放浓度和排放总量,并对排污口和周边环境进行总磷监测,依法公开监测信息。排污口是造成长江水污染最直接的源头,“管住”排污口是改善长江水环境质量的关键。为此,《长江保护法》明确要求长江流域县级以上地方人民政府应当组织对本行政区域的江河、湖泊排污口开展排查整治,明确责任主体,实施分类管理。对于未达到水质目标的水功能区,应当严格控制新设、改设或者扩大排污口。

(2) 补齐农业面源污染防治的短板

长江流域农业资源丰富、基础较好,是我国重要的粮食产区,在保障我国粮食安全方面具有重要地位。与此同时,因农业生产活动而产生的面源污染问题既是一项世界性难题,也成为长江流域水污染防治中的一大短板。《长江保护法》从转变生产方式入手,要求农业生产应当科学使用农业投入品,减少化肥、农药施用,推广有机肥使用,科学处置农用薄膜、农作物秸秆等农业废弃物,为补齐短板提供了“治本之策”。

(3) 强化水环境风险管控的制度弱项

虽然,风险管控这一现代环境立法的理念在《环境保护法》《水污染防治法》《中华人民共和国土壤污染防治法》的修改和制定中已经得以体现,但是相关制度设计仍相对薄弱。面对长江流域环境风险隐患突出的现状,《长江保护法》从风险源和风险物质两方面细化了具体的风险管控措施。一是对沿河湖垃圾填埋场、加油站、矿山、尾矿库、危险废弃物处置场、化工园区和化工项目等地下水重点污染源及周边地下水环境风险隐患开展调查评估,对上述重点风险源采取相应风险防范和整治措施。二是结合长江“黄金水道”的建设,强化对危险化学品这种风险物质运输的管控,禁止在长江流域水上运输剧毒化学品和国家规定禁止通过内河运输的其他危险化学品。

8.2.3 生态环境修复多维制度体系

长江拥有独特的生态系统,是我国重要的生态宝库。但面对流域生态功能退化严重的母亲河,习近平总书记曾深刻指出:“长江病了,而且病得还不轻。”因此，防止长江流域生态环境进一步恶化，让长江恢复元气，就成为《长江保护法》的主要任务之一。《长江保护法》为治好“长江病”开出的一剂良方，就是科学运用中医整体观，系统开展多维度的生态环境修复治理。

（1）实施河湖水系修复

长江流域的生态环境修复首先要遵循其自然水文特性，即对干支流水系、湖泊、河口等实施修复。《长江保护法》坚持问题导向，从“长江病”反映在河湖水系上的“病症”入手，如洞庭湖、鄱阳湖频频干旱见底，部分水系严重断流、河湖生态功能退化等，有针对性地作出了规定。一是制定并组织实施河湖水系连通修复方案，逐步改善流域河湖连通状况，维护河湖水系生态功能。二是对太湖、鄱阳湖、洞庭湖、巢湖、滇池等重点湖泊加大修复的支持力度；对处于富营养化状态的湖泊组织开展生态环境修复，并严格控制影响湖泊水质的水区内氮磷污染物的排放。三是按照陆海统筹、河海联动的要求，制定实施长江河口生态环境修复和其他保护措施方案，采取有效措施防止海水入侵和倒灌，维护长江河口良好生态功能。

（2）推进重点水域禁捕和水生物栖息地修复

近年来，长江生物完整性指数已达到最差的“无鱼”等级，特别是一些珍稀、濒危野生动植物种群数量急剧下降。究其根源，在于水生物的栖息地和生物群落遭到破坏。针对这一问题，《长江保护法》坚持标本兼治，对生物与生境实施一体化保护。一方面，为实施“长江十年禁渔”提供强有力的法治保障。《长江保护法》明确规定，在流域水生物保护区全面禁止生产性捕捞；在国家规定的期限内，长江干流和重要支流、大型通江湖泊、长江河口规定区域等重点水域全面禁止天然渔业资源的生产性捕捞。另一方面，对流域水生物产卵场、索饵场、越冬场和洄游通道等重要栖息地实施生态环境修复及其他保护措施。特别是对鱼类等水生物洄游产生阻隔的涉水工程应当结合实际采取措施，充分满足水生物的生态需求。

（3）开展重要区域和重要生态系统修复

长江流域的生态环境问题虽然表象在水里，但病根在岸上。例如，岸线、港口乱占滥用问题突出，部分区域土壤污染、水土流失、土地沙化与石漠化较为严重。如果岸上的生态环境不能得到有效恢复，长江生态环境仍将时刻受到威胁。《长江保护法》从生态系统的整体性出发，对流域国土空间内影响长江生态环境的重要区域和重要生态系统的修复作出相应的立法设计，从而有效地提升了流域整体生态功能和生态产品服务水平。对河湖岸线进行生态修复。基于前述岸线对于长江生态环境保护的重要意义，《长江保护法》明确规定由国家长江流域协调机制统筹协调有关部门和流域省级人民政府制定长江流域河湖岸线修复规范，确定岸线修复指标。流域县级以上地方人民政府应当按照长江流域河湖岸线保护规划、修复规范和指标要求，制定并组织实施河湖岸线修复计划，保障自然岸线比例，恢复河湖岸线生态功能。

（4）重点库区消落区的生态修复

库区消落区是因水库季节性水位涨落或周期性蓄水，处于最高水位与最低水位之间的区域。该区域是水、陆生态系统交替控制的过渡地带，生态环境相对敏感、脆弱，极易受到人类活动的影响。由于长江流域分布着大量的水库，特别是三峡、丹江口等水库对于流域乃至全国都具有特殊重要的意义，故而，库区消落区的生态保护问题在长江流域显得尤为突出。为此，《长江保护法》专门对前述重点库区消落区的生态环境保护和修复作出明确规定，即因地制宜实施退耕还林还草还湿，禁止施用化肥、农药，科学调控水库水位，加强库区水土保持和地质灾害防治工作。

（5）野生动植物栖息地的生态修复

野生动植物栖息地不仅是长江流域生态系统重要的组成部分，也是各类生物生存和繁衍的“家园”。针对受损野生动植物栖息地开展生态修复，既能够有效改善当地的生态环境，又是对长江流域数量急剧下降或者极度濒危的野生动植物实施保护所采取的根本性措施。特别是针对受到严重破坏的栖息地、天然集中分布区、破碎化的典型生态系统，《长江保护法》要求制定修复方案和行动计划，实施生态环境修复和其他保护措施。对水土流失区域、石漠化土地和历史遗留矿山进行生态修复。水土流失、石漠化、废弃矿山等均是相关开发利用活动长期透支长江生态环境造成的“历史欠账”。针对上述问题，《长江保护法》既立足“治已病”，对已经出现水土流失、石漠化的区域和历史遗留矿山采取生态修复措施，又着眼“治未病”，禁止在流域水土流失严重、生态脆弱的区域开展可能造成水土流失的生产建设活动，并加强对在建和运行中矿山的监督管理，以有效预防此类问题的再次发生。①

8.2.4 加快构建现代流域环境治理体系

《长江保护法》的颁布实施以及相关制度的不断完善，保障了长江保护修复工作依法有序地开展。新时期要持续提升治理能力和治理体系现代化水

---

① 刘佳奇.《长江保护法》中生态环境保护制度体系的逻辑展开[J].环境保护，2021，49(Z1)：36-41.

平，加快推进制度保障迈上新台阶，推动长江经济带实现高质量发展。

(1) 推动长江全流域按单元精细化分区管控

要严格国土空间用途管控，加强“三线一单”成果在政策制定、环境准入、园区管理、执法监管等方面的应用；要严守生态保护红线，建立和完善相关监管制度和标准体系，加快推进生态保护红线监管平台建设；深化地表水生态环境质量目标管理，根据国控断面对应汇水范围划分若干流域控制单元，明确各级控制断面水质保护目标，未达到水质目标要求的地区，应依法制定并实施限期达标规划。

(2) 建立健全长江流域水生态环境考核评价制度

水生态系统功能退化等问题已成为长江经济带高质量发展的突出短板。《长江保护法》规定，“国家实行长江流域生态环境保护责任制和考核评价制度”。为此，亟须建立健全长江流域水生态环境考核评价制度，严格落实“党政同责”“一岗双责”，引导各地履行水生态保护修复责任，为推动长江流域生态环境持续改善提供制度保障。

(3) 强化中央生态环境保护督察

压实各部门和地方生态环境保护责任，继续拍摄长江经济带生态环境警示片，强化举一反三，以点带面推动问题得到系统整改，严防表面整改、虚假整改。完善水生态环境突出问题发现和推动解决机制，采取分析预警、调度通报、独立调查、跟踪督办等措施，推进长江水生态环境质量持续改善。

(4) 完善流域生态补偿机制

推动建立健全长江全流域横向生态补偿机制，支持流域上下游开展横向生态补偿，并对机制建设进展快、成效好的省份给予倾斜。建立生态产品价值实现机制，开展生态产品价值核算。鼓励、引导社会资本参与长江生态保护修复。

(5) 提升支撑保障能力

进一步加强长江水质监测质控和应急平台建设，组织开展长江流域水生态调查监测，推动建立和完善跨省流域突发水污染事件联防联控机制。推动水专项等研究成果转化，深化驻点城市把脉问诊，定量化、精细化提出突出问题解决方案。深入推动生态环境科技帮扶行动落地实施，促进科学研究与实际需求深度融合，构建服务型生态环境科技创新体系。①

---

① 持续实施长江大保护，深入推动长江生态环境保护修复[EB/OL].(2021-11-15)[2022-03-22]. https://m.gmw.cn/baijia/2021-11/15/35310281.html.

8.3 长江水生态保护修复政策执行

8.3.1 推动实施生态工程

习近平总书记指出，良好生态环境是人和社会持续发展的根本基础。要实施重大生态修复工程，增强生态产品的生产能力，推进荒漠化、石漠化综合治理，扩大湖泊、湿地面积，保护生物多样性。

(1) 实施流域生态修复工程

协调“山上山下”“地上地下”“上游下游”进行整体保护、系统修复，确保湖泊水质不下降。例如：为深入贯彻落实《长江保护法》，加强长江流域生态环境保护和修复，保障生态安全，2021 年 10 月，江苏省财政厅出台《江苏省长江流域生态保护和修复工程项目补助办法》(以下简称《办法》)。《办法》明确，在“十四五”期间，江苏省财政专项安排资金支持长江流域生态环境保护和修复。按照省级组织、市县申报的流程，江苏省财政每年安排 2 亿元，省生态环境厅会同省财政厅根据实际需要发布项目补助资金申报指南，明确当年重点支持方向。通过竞争性评审，遴选一批长江流域生态环境保护和修复重大工程项目，对市县符合条件的项目进行补助，支持开展长江流域生态环境保护和修复。

(2) 实施森林质量提升工程

为了全面贯彻落实习近平总书记在深入推动长江经济带发展座谈会上的重要讲话精神，2018 年 9 月，国家发展改革委、水利部、自然资源部、林草局四部委联合下发了《关于加快推进长江两岸造林绿化的指导意见》，要求全面推进造林绿化，建设岸绿景美、绵延万里的沿江美丽生态带。据此，武汉市实施长江高水平保护十大攻坚提升行动，充分挖掘造林绿化空间，科学实施大规模国土绿化。积极推进四环线生态带、青山长江森林、空间补绿等工程建设，启动“村增万树”行动计划，截至 2021 年，全市建成绿色示范村 100 个以上、标准村 500 个以上，未来 5 年造林绿化 10 万亩，新增植树 1 000 万株以上，基本实现“应绿尽绿”。建设 1 000 亩林苗两用、保障性苗圃等苗木培育示范工程。开展全市全域破损山体本底调查，因地制宜，科学开展“新一轮破损山体生态复绿”，打造“绿水青山”。巩固精准灭荒、长江两岸造林绿化等重大林业生态工程建设成果，推进森林质量精准提升，实施退化商品林、杉木林、马尾松纯林等更新改造 25 万亩，提高森林健康度，优化森林结构，提升森林经济效益。将脱贫攻坚与实施乡村振兴有效衔接，充分发挥林业行业特色，新改建花卉苗木、低效油茶林、经济林果等产业基地 20 万亩。全面推行林长制，建立市、区、街道（乡镇）林长制组织体系，强化森林资源的保护和发展。

(3) 实施长江流域耕地保护

在坚守耕地红线的基础上，全面深化高标准农田建设改革，着力破解过去高标准农田建设多头管理、资金分散、标准不一等难题。保障粮食安全，关键在于落实“藏粮于地、藏粮于技”战略，首要任务是解决好种子和耕地的问题。如何在守住耕地安全底线的基础上，通过创新耕地利用技术、经营模式和管理制度，提升耕地综合生产能力并全面促进农业转型升级和绿色发展，是实现耕地可持续利用亟待解决的问题。长江经济带保有全国约 33% 的耕地，在国家粮食安全保障中发挥着举足轻重的作用。如何全面评估和充分认识长江经济带耕地可持续利用形势与挑战，对于推动“藏粮于地”政策落地、切实提高粮食安全保障水平意义重大。例如，云南省坚持最严格的耕地保护制度，树牢底线思维，加强耕地数量、质量、生态“三位一体”保护，实现耕地保护目标。加强耕地用途管制，严控新增建设项目占用耕地，严控耕地转为林地、园地等其他类型农用地，确保农业生产安全，实现农业可持续发展。

8.3.2 探索生态修复模式

习近平总书记指出，要正确处理发展和生态环境保护的关系，在生态文明建设体制机制改革方面先行先试，把提出的行动计划扎扎实实落实到行动上，实现发展和生态环境保护协同推进。为推进国家生态文明建设，国家自然资源部、各省级自然资源厅相继出台相关政策文件，明确要对长江流域等重点区域历史遗留矿山进行生态修复①。四川省广元市旺苍县东河镇兴荣页岩砖厂废弃露天矿山离县城较近，与旺苍县杨梅特色文创旅游区相邻，为贯彻落实国家“重在保护、要在治理、高质量发展”理念，旺苍县政府启动了东河镇兴荣页岩砖厂废弃露天矿山生态修复项目。该项目探寻了绿色发展与乡村振兴相融合的生态修复模式，利用废弃砖窑现有建筑空间，深度挖掘古窑文化，把该废弃露天矿山打造成了“印象窑吧 · 杨梅特色文创旅游综合服务体”，目前该修复区域已成为集杨梅交易、分拣包装、冷储保鲜于一体的全流域产业链，以及餐饮、娱乐、休闲一条龙的商业服务基地。另外，江西省建立南昌“亚热带风沙

---

① 魏鹏，王大国，刘云，等. 长江干支流历史遗留矿山生态修复模式及存在问题分析——以四川省为例[J]. 金属矿山，2022(9)：209-215.

化土地综合开发试验站”和冈上镇“沙荒开发治理试验场”，建立都昌退田还湖区“单退区湿地恢复”模式和“双退区湿地恢复”模式，形成了既改善湖区生态环境又充分挖掘湖区潜力的保护修复模式。江西在山区生态经济建设方面，立足当地资源，以优势特色产业为纽带，资源开发和环境保护并举，探索了“南丰蜜橘”“井冈蜜橘”“赣南脐橙”等特色果业模式和赣南“猪-沼-果”生态农业模式。在湖区生态经济建设方面，采用治湖、治穷与治虫相结合等方法，创建了丰城农林复合生态系统及余干县大水面自然养殖等模式。在乡村旅游建设方面，大力发展生态旅游、森林康养、健康养老等产业，依托全省乡村旅游资源优势大力发展踏青游、观花游、采摘游、摄影游、美食游、养老游、民俗游等丰富多彩的乡村旅游项目，培育了婺源、靖安、资溪等一批乡村旅游发展典型县。2019年旅游接待总人次、总收入分别增长 15.65%和 18.55%，服务业增加值占 GDP 比重达 47.5%，首次超过第二产业①。

8.3.3 强化生态惠民

习近平总书记指出，良好生态环境是最公平的公共产品，是最普惠的民生福祉。江西始终聚焦群众关心关切、反映强烈的突出环境问题，增加生态产品供给，提升人民群众在生态文明建设中的获得感。

(1) 改善城乡生态环境

在加强山水林田湖草生命共同体建设的过程中，以城乡环境综合整治为抓手，深入实施城市功能与品质提升行动。治理设区市城市黑臭水体 29 个，全省中心城区道路机扫率达 86.49%。实施城镇生活污水处理提质增效三年行动，推进饮用水水源地保护、入河排污口整治工程，国家考核断面水质优良率达 93.3%，高于国家考核目标。2019 年启动农村垃圾分类减量和资源化利用试点，累计关闭、搬迁畜禽养殖场 3.8 万个，全省规模猪场配套粪污处理设施完成比例达 76%，畜禽粪污资源化利用率达 87.5%以上。深入开展农村人居环境整治行动，统筹 63 亿元资金推进 2 万个村组整治和 36 个美丽宜居试点县建设，59 个县实施城乡环卫“全域一体化”第三方治理，完成农户改厕 56.09 万户。农村人居环境整治工作获国务院肯定，成为中部地区首个通过国检验收的省份。坚持“共抓大保护、不搞大开发”，实施长江经济带“十大攻坚行动”，推进“三水共治”，整改工作新机制获得国家长江办肯定并推广，努力打造水美、

---

① 华启和. 山水林田湖草生命共同体建设的江西实践[J]. 福建师范大学学报(哲学社会科学版)，2020(3):31-39,169.

岸美、产业美的长江“最美岸线”①。

(2) 推动绿色共享

强化城市规划建设绿地配比要求，加大园林绿化建设力度和改造提升。例如江西全省人均公园绿地面积14.56平方米，园林绿化三大指标位列中部第一，全国领先。景德镇以“城市双修”为契机，完善城市基础设施及配套设施建设，人居环境得以显著改善，人民群众的获得感、幸福感显著提升。萍乡在海绵城市建设过程中，不断改善人居环境，推进城市近郊风景名胜区免费向公众试点开放。景德镇“城市双修”、萍乡海绵城市建设先后获得国务院通报表扬。全省设区市城区绿化覆盖率、绿地率位居全国前列，新余生态循环农业、鹰潭余江“宅改”经验等向全国推广，宜春“生态＋大健康”入选改革年度案例，生态江西的美誉度和影响力不断提升，人民群众生态获得感进一步增强②。

8.3.4 多措并举统筹山水林田湖草等生态要素共同治理

构建山水林田湖草综合治理体系需要统筹兼顾、整体施策、多措并举，从目标、领域、手段上加强协同治理、系统治理。相比国外流域治理和生态规划往往横跨数十年的时间尺度，我国试点实施周期仅为三年，项目设计和建设缺乏系统性和长期性，试点结束的后期维护与可持续管理考虑不足。为适应生态文明建设要求，2020年1月，自然资源部印发《自然资源调查监测体系构建总体方案》，旨在从山水林田湖草系统功能和结构上加强协同治理。2020年8月，自然资源部、财政部、生态环境部研究制定了《山水林田湖草生态保护修复工程指南(试行)》，从要素、措施、工程建设、目标和效益等方面，指导和规范各地推动山水林田湖草整体保护、系统修复、综合治理，要求“采取工程、技术、生物等多种措施……实现国土空间格局优化，提高社会-经济-自然复合生态系统弹性，全面提升国家和区域生态安全屏障质量，促进生态系统良性循环和永续利用”。

中国共产党第十九届中央委员会第五次全体会议审议通过了《中共中央关于制定国民经济和社会发展第十四个五年规划和二〇三五年远景目标的建议》，明确提出2035年“广泛形成绿色生产生活方式，碳排放达峰后稳中有降，生态环境根本好转，美丽中国建设目标基本实现”的现代化目标。针对上述目标和要求，各地方在“十四五”期间进一步加强生态文明建设。山水林田湖草

---

① 华启和.山水林田湖草生命共同体建设的江西实践[J].福建师范大学学报(哲学社会科学版)，2020(3)：31-39，169.

② 华启和.山水林田湖草生命共同体建设的江西实践[J].福建师范大学学报(哲学社会科学版)，2020(3)：31-39，169.

系统治理是推进美丽中国建设的物质和资源环境基础，对此需要立足小协同和大协同的理念，从以下几方面加强项目设计和建设。

（1）从小协同到大协同的衔接应加强协同规划

例如工程性措施与非工程性措施相结合，借鉴国外绿色基础设施、适应性生态系统管理等先进理念和做法，优先采用低成本、高收益、具有长效机制的自然生态修复技术；注重项目投资效益、生态系统功能和品质提升，而非单纯以森林覆盖率等生态要素数量的提升为考核指标；污染治理与生态保护相结合，注重流域和产业上下游的污染协同控制，发掘具有更大生态红利和民生福祉的循环经济产业、生态效益工程；构建跨部门、跨省市的协调机制，建立信息与数据的共享机制和平台，打破行政区划、行业管理和生态要素的界限，探索机制创新等。

（2）将应对气候变化目标纳入山水林田湖草系统治理

试点工作的初衷是加强国土空间生态修复工作，对于前期试点成效良好的项目可以给予奖补，鼓励地方积极创新，为丰富我国的生态文明建设理念提供案例。例如，我国一些水土流失严重的西部干旱地区，通过政府主导的退耕还林、生态移民、精准扶贫、山水林田湖草生态修复等工程，在脱贫和经济发展的同时，也实现了流域治理、荒山整治、水土保持和生态保护目标。在气候变化背景下，生态建设有助于增加森林、草原、湿地面积，提升碳汇储量，贡献碳中和目标；同时应加强对生态脆弱地区的重点支持，将山水林田湖草试点建设作为中西部欠发达地区应对气候贫困、发掘生态红利和生态产业、提升高质量发展和新型城镇化的协同发展途径。

（3）拓展山水林田湖草生命共同体理念，加强陆海统筹治理

习近平总书记在 2019 年 4 月提出“海洋命运共同体”理念，指出“海洋孕育了生命、联通了世界、促进了发展”。海洋命运共同体理念隐含了人类与海洋生态保护的关系、海洋治理与可持续发展的关系。国家“十二五”规划即提出了陆海统筹的海洋发展战略。中国拥有 1.8 万多公里的大陆海岸线，沿海地区容纳了全国半数以上人口，占 60％的国民生产总值。《2019 年中国海洋经济统计公报》显示，中国海洋经济快速发展，已占到沿海地区国内生产总值的 17％，包括渔业捕捞、海水养殖、造船和航运、旅游和休闲业等。但同时，持续恶化的海洋环境破坏了中国一半以上的滨海湿地和栖息地。未来应高度重视沿海地区陆海生态系统的协同治理，明确提倡“山水林田湖草海”陆海统筹的大系统治理理念①。

---

① 郑艳，庄贵阳．山水林田湖草系统治理：理论内涵与实践路径探析［J］．城市与环境研究，2020(4)：12-27.

8.4 长江水生态保护修复监督管理

8.4.1 强化生态修复的顶层设计

习近平总书记指出，生态治理必须遵循规律，科学规划，因地制宜，统筹兼顾，打造多元共生的生态系统。

(1) 设立协调管理机构

在《长江保护法》的框架下，长江流域管理机构应积极建立协同合作机制，在国家协调机制和流域内地方政府及协作机制之间承上启下，在法治轨道上推进长江保护重点工作，用法律破解制约长江保护的热点、难点、痛点问题，构建"共抓大保护"格局，在推动"生态优先、绿色发展"中发挥积极作用。以江西省为例，高位推动山水林田湖草综合治理，无论是"山江湖"工程的实施，还是鄱阳湖流域的综合治理。为进一步强化组织协调，高效推进山水林田湖草生命共同体建设，先后设立了"山江湖"综合开发治理管理机构、鄱阳湖生态经济区建设协调管理机构、江西省山水林田湖草生命共同体建设领导小组等，全面推进山水林田湖草生命共同体建设。与此同时，江西成立了省委书记、省长挂帅的高规格生态文明建设领导小组，形成省委牵头抓总、省人大立法监督、省政府谋划实施、省政协积极参与、各地各部门"一把手"负责的总体推进格局。2019 年江西还专门成立省生态环境保护委员会，由省委书记和省长担任"双主任"，委员会下设自然资源保护、环境污染防治等 10 个专业委员会，分专业分领域协调推进生态环境保护各项工作。制定《江西省生态环境保护委员会工作规则》，自上而下推动市、县两级对应成立生态环境保护委员会和专业委员会，形成党委和政府主要领导抓统筹、分管领导抓协调、部门领导抓落实，省市县三级上下联动、齐抓共管生态环境保护的工作格局①。

(2) 编制规划体系

以湖北省为例，2022 年初，湖北省自然资源厅印发《湖北省国土空间生态修复规划(2021—2035 年)》(以下简称《规划》)，明确构建"一江双廊两库四屏一平原"生态修复总体布局，在此基础上，划定丹江口库区水土保持、鄂西北大

---

① 华启和. 山水林田湖草生命共同体建设的江西实践[J]. 福建师范大学学报(哲学社会科学版)，2020(3)：31-39，169.

巴山区生物多样性保护等八个生态修复分区。湖北作为拥有长江干线最长的省份，湖北省委、省政府始终把修复长江生态环境摆在压倒性位置，但仍存在长江干支流生态受损、江汉平原湖泊湿地萎缩、河湖水系连通不足等问题，生态修复工作任重道远。“一江双廊两库四屏一平原”生态修复总体布局包括：一江，长江干流湖北段，重点保护和修复长江生态环境，提升生态功能；双廊，汉江、清江及其他骨干河流生态缓冲带网和交通干线生态防护林网；两库，三峡库区、丹江口库区，在库区推进水生态系统保护与修复，将其建设成为国家水资源战略保障区；四屏，在鄂西北秦巴山、鄂西南武陵山、鄂东北大别山和鄂东南幕阜山构筑生态屏障；一平原，江汉平原，重点恢复平原湖区江湖连通廊道，优先推进汉江、汉北河、天门河、大东湖及梁子湖等重要水系连通，重点保护修复大九湖、洪湖、沉湖、网湖等重要湿地，改善湖泊水环境。此外，《规划》把全省国土空间划分为丹江口库区水土保持、鄂西北大巴山区生物多样性保护、三峡库区水土保持、鄂西南武陵山区生物多样性保护、鄂中北农林提升和水生态、江汉平原河湖湿地和农业生态、鄂东北大别山区水土保持和生物多样性保护、鄂东南幕阜山区水源涵养和生物多样性保护等八个生态修复分区。

8.4.2 推进水生态保护修复的多主体合作

（1）共设长江经济带水环境保护基金，切实履行下游发达省份对上游的补偿和帮扶责任

长江上游地区为改善生态环境所付出的额外保护与建设成本，以及为此而牺牲的发展机会成本得不到补偿，影响了上游地区保护流域生态环境的积极性。长江下游发达省份，依靠长江实现了经济高速发展，有必要切实履行对上游地区和源头区域的历史补偿责任。中央和下游省份应共设长江经济带水环境保护横向补偿基金。联合社会企业，建立以财政投入为主、社会积极参与的生态保护投入筹措保障机制，充分吸纳社会资本的力量，将长江生态环境保护战略与市场机制有机统一起来。分近期、中期、远期三个不同阶段，在环保产业、生态修复、环境治理、污水垃圾处理、生态环境教育、生态体验服务、碳排放交易、水权和排污权交易、生态绿色产品开发中发挥长江经济带水环境保护横向补偿基金的引导作用。同时，鼓励金融机构加大对长江经济带水环境治理企业的信贷支持力度，为企业提高资金保障，拓宽企业融资渠道。通过政府作用加市场力量，长江经济带生态保护和建设更加充满生机与活力，不断筑牢长江上游地区尤其是源头地区国家生态安全屏障，逐步形成生态共享、环境共治、成果共享的良好局面。

(2) 倡议建立长江清洁发展机制，加快建立长江经济带沿线省份协同保护长江水环境共建共享机制

借鉴《〈联合国气候变化框架公约〉京都议定书》和清洁发展机制(CDM)，在长江流域上下游省份间，协同共担环保责任，共享环保成果，建立长江经济带沿线省份协同保护长江水环境的共建共享机制。制订行动计划，将长江经济带协同保护水生态共建共享机制作为加快生态文明建设和生态文明制度改革的重要内容加以推进。构建上下游省份的协同机制，从设立流域生态环境协同保护机构、搭建流域生态环境监管一体化平台、健全流域生态环境协同保护标准等方面入手，建立流域联防共治机制，构建起横向生态补偿、科技交流、人才交流、文化教育协作、旅游商贸、市场补给、协同治理投入等长效运行机制。建立省际协调机制，包括完善对口支援政策，探索流域协同治理，完善对口支援机制，协同加强长江生态环境保护与治理，培育绿色发展新动能。

(3) 联合探索建立水生态产品价值实现机制，以项目为抓手，实现上下游省份合作共同开发生态产品的经济价值

习近平总书记强调，要加快建立生态产品价值实现机制，让保护修复生态环境获得合理回报，让破坏生态环境付出相应代价。长江上游地区环境优美、水量丰富，具有开发生态产品价值的巨大潜力，下游地区资本实力强，可实现下游资本与上游水生态产品的完美融合，立足于长江上游生态产品，探索生态经济合理的市场运营机制，通过创新生态服务价值的开发、资本运作模式，试行以生态产品投资入股、抵押质押等价值转化路径，从而促进生态服务价值的实现。创新绿色信贷资产证券、绿色金融债券和绿色保险业务等金融工具，实现生态产品的开发和产业化运营；结合生态产品产权的金融产品属性，通过利用金融衍生品的思维进一步挖掘生态产品产权期权及期货价值等方式，最大限度地发现和提升生态产品的内在价值。

(4) 探索建立长江经济带水环境权益交易平台，加快构建长江经济带水环境横向生态补偿的市场机制

习近平总书记强调，生态环境投入不是无谓投入、无效投入，而是关系经济社会高质量发展、可持续发展的基础性、战略性投入。要形成这些投入的回报机制，鼓励流域上下游地区开展排污权交易和水权交易，交易的前提是权利的分配与确权。建立长江经济带水权分配及确权登记制度，根据长江水环境承载力，合理分配水权、排污权。在此基础上，重点建立长江经济带水权交易、排污权交易等制度及市场体系，形成流域生态资源资产有偿使用制度。通过市场化交易，培育和发展交易平台，完善长江经济带水环境权益价格形成机

制，构建流域水环境保护市场，形成社会资本投入流域生态环境保护的市场主导机制。借助水权和排污权市场机制，激励长江经济带省份节约用水和降低污水排放，依靠价格措施，实现多用水和多排放省份对节水减排省份的横向生态补偿①。

8.4.3 加强山水林田湖草的监督管理

（1）实现山水林田湖草的跨界管理

严控岸线开发利用，实施长江岸线整体保护修复。以增加生态和生活岸线、严控生产岸线为目标，从流域全局确立岸线空间规划，注重左右岸、省际及上下游的协调，全面优化长江岸线空间布局，实现长江岸线整体保护。明确清退滨江化工岸线和部分码头岸线，推进沿江生活岸线改造升级；通过生态护岸建设、江河湖库综合整治和湿地修复、沿岸灾害防治、港口码头污染处理设施改造等工程措施，强化长江岸线污染控制、清洁整治、生态修复，还原其自然生态本底；同时建立健全长江岸线保护和开发利用协调机制，统筹岸线与后方土地的使用和管理，探索建立岸线资源有偿使用制度。抢救保护珍稀濒危物种，维护生物多样性。依托试点区森林、湿地生态系统以及生物多样性资源，打破行政边界，以流域为范围，构建以自然保护区为核心，以就地保护为主体、迁地保护为补充的生物多样性保护体系，通过生境保护、专题保护、针对性点对点保护等措施，结合人工繁殖、野生驯化等手段，抢救性保护金丝猴、中华鲟、江豚、疏花水柏枝等濒危野生动植物，维护生物多样性，保障长江流域生物基因库的安全。增强江河湖库连通性，维护江河健康。继续巩固退田还湖与清理河湖行洪障碍物，加强防洪排涝设施升级改造工程建设，增强河湖洪水的蓄泄水能力；加强江河湖库水资源调度管理和水资源配置应急工程建设，缓解水资源供需矛盾；实施湖泊湿地资源保护工程，控制湿地萎缩，提升湿地生态系统功能；增强江河湖库水系连通性，加强江河湖库水环境保护和水污染治理，维护江湖质量，保持生物栖息地的完整和促进生物多样性的维持。

（2）加强山水林田湖草综合治理

推进“三水共治”，保障长江中下游水安全。以流域为边界开展水资源保护、水环境治理、水生态修复，推动全流域系统治理。大力开展重要饮用水水源地安全保障达标建设，强化饮用水水源地保护，执行最严格的水资源管理制

---

① 坚持协同治理 推进长江水环境保护[EB/OL].（2020-12-23）[2022-03-22]. http://www.qunzh.com/qzxlk/jczx/2020/202024/202012/t20201223_94144.html.

度;通过废污水治理、农业面源污染治理、矿山污染水体治理、废污水处理设施升级等工程措施,构建"源头减排、过程阻断、末端治理"全过程防控水污染的治水模式;通过江河湖库综合整治和湿地修复、岸坡生态缓冲带建设等工程措施,强化污染河道及黑臭水体治理,保证流域水体的清洁、畅通、安全。整治"化工围江",引领长江经济带绿色发展。实施沿江"一公里"化工企业关转搬、化工企业转型升级等工程措施,治理和严控工业污染源,引导化工产业向高端化、精细化、绿色化发展;推动化工污染的全流域联防联治,全面优化化工产业布局;实行源头预防、过程控制、全面治理,加强磷矿资源开发全过程的防控,通过污染土地生态绿化、污染土壤深度治理、矿山生态恢复治理等工程措施,全面推进污染土地整治,消除或减少污染源。加强水土保持,构建生态屏障。统筹山、水、林、田、湖、草各要素,紧密结合工程、植物和耕作措施,沟坡兼治,优化水土资源配置,提高土地生产力,发展特色产业,促进农村产业结构调整和供给侧结构性改革,持续改善生态,控制水土流失。开展岩溶石漠化土地治理,恢复土地使用功能;开展地质灾害点恢复治理工程,消除地质灾害对人民生命财产安全和生态环境的威胁。水土保持治理重点实施消落带生态修复、地质灾害防治、退耕还林还草、坡改梯、沟道防护林培育等工程措施。强化土地整治和矿山修复,增强生态系统服务功能。全面推动"山水林田路村"土地综合整治,提高土地利用率,实现国土空间统一管控,破解"保护耕地、保障发展、保护环境"的难题,提升土地生态功能。通过废弃工矿场地恢复治理、废弃渣堆治理、矿山污染水体治理、农业生态示范建设等工程措施,加强矿山生态环境保护修复,有效减轻矿产资源开发对生态环境的影响和破坏,恢复土地使用功能,逐步改善矿山生态环境质量,实现人与自然和谐发展,保障矿区生态安全。

(3) 探索山水林田湖草的精准治理

按照整体性、系统性原则,充分考虑生态系统的关联性与完整性、区域生态功能的特殊性与重要性,采用空间分析技术,识别"生命共同体"生态保护修复的重点区域空间分布和主要结构特征,对山水林田湖草生态保护修复工程实施范围进行区域划分,针对重点区域、重点问题,实施重点工程、重点技术,实现分区施策、精准治理。西部水土流失治理区:针对区域内水土流失、石漠化严重,矿产开发破坏生态环境,地质灾害形势严峻等问题,重点实施库岸整治、水土流失治理及区域生态保护修复、岸线生态修复等工程项目。中部水环境污染重点治理区:针对区域内河流水质污染严重,饮用水水源水质达标不稳定,长江岸线退化严重,土壤污染风险隐患大等问题,重点实施长江岸线生态保护修复、水源地保护及流域生态修复(水环境综合治理及流域生态保护修复)等重点工程。东部综合治理区:针对区域内湖泊、湿地生态功能退化,“化工围江”风险隐患大,水体富营养化加剧,饮用水水源环境风险大,废弃矿山、农业面源污染形势严峻等突出问题,重点实施长江岸线生态保护修复、国土综合整治与废弃矿山生态修复、水环境综合整治、“化工围江”综合整治、体制机制创新与能力建设等工程项目。

(4) 规范山水林田湖草的管理体系

湖北三峡地区山水林田湖草的管理与执法分散在矿业、林业、农业、水利等多个管理部门,跨区监管难、责任落实难、规范执法难等问题突出,导致管理和执法效益相对较低。因此要进一步完善和创新长江大保护体制机制,探索建立生态优先和绿色发展协同推进的有效工作模式,引领长江经济带高质量绿色发展。全面完善法律体系,整合执法力量,规范执法流程,健全监督机制,保障管理和执法的高效化;实行生态环境保护“党政同责”“一岗双责”,建立更具刚性的考核机制,通过体制改革和机制创新激发生态保护修复的新动能;创建流域管理与行政区域管理相结合的流域生态综合管理新体制,实施流域统一规划,推动流域协同联动保护修复。通过建立健全协同联动机制、生态补偿机制、责任考核机制、资金筹措机制、奖惩机制等,实现山水林田湖草生态系统的规范化、长效化、常态化管理①。

8.4.4 创新体制机制,突出制度保障

习近平总书记指出,保护生态环境必须依靠制度、依靠法治。只有实行最严格的制度、最严密的法治,才能为生态文明建设提供可靠保障。江西以构建山水林田湖草系统保护和综合治理制度体系为着力点,重点解决山水林田湖草管理职能交叉、权责不明、难以落地等突出问题,加快构建统一监管、统筹协调的制度体系与管理机制,推动生态环境治理能力和治理体系现代化。

(1) 明晰自然资源资产产权制度,破解生态利益共享难题

推进自然资源统一确权登记试点,2018 年出台《江西省自然资源统一确权登记办法(试行)》,加快建立土地、水、森林、湿地、草原等自然资源有偿使用制度。积极开展农村土地承包经营权和林地确权工作,基本完成农村土地承包经营权确权登记颁证工作,试点工作走在全国前列。林权制度改革进展顺利,在全省 30 多个县推进以集体林地流转为主线,深化集体林权制度改革的试点

---

① 李涛,唐涛,邓红兵,等.湖北省三峡地区山水林田湖草系统原理及生态保护修复研究[J].生态学报,2019,39(23):8896-8902.

工作，率先出台《江西省林地适度规模经营奖补办法(试行)》。推进农田水利设施产权制度改革和创新运行管护机制试点，新干、高安、宁都、兴国等4个国家级试点市县已全部完成农田水利设施的产权确权和移交工作。通过确权，不仅减少了农村土地纠纷，而且农民的资源变资产，提升了农民的获得感。

(2) 构建高规格全覆盖的河长制，破解“九龙治水”难题

例如：江西在全国率先建立党政同责、区域和流域相结合、覆盖全省所有河流的高规格五级河长制组织体系，统一河湖管理，推进“河长认领制”，打造河长制“升级版”。坚持以清河行动和流域生态综合治理为抓手，在河湖管控上突出“三个统一”：统一涉水规划，推进农、林、水、国土、交通等与河湖环境有关规划“多规合一”；统一河湖监管，建立统一规范的河湖监管网络和水资源控制指标体系，按统一标准开展水质水量监测评价；统一行政执法，在省级层面建立全省河湖管理地理信息系统平台和河长即时通信平台，实行一体化综合管理，实现了从“见河长”“见行动”到“见成效”的转变，河湖管护取得积极成效。中国共产党全面深化改革委员会专题介绍江西河长制改革经验，《焦点访谈》节目先后两次报道江西河长制工作。

(3) 构建全流域的生态补偿机制，破解横向利益协调难题

例如：江西在全国率先建立和实施湖泊湿地生态补偿、“五河一湖”水资源保护以及全流域生态补偿制度，打造生态补偿“扩大版”。江西已入选国家生态综合补偿试点省份，实现了对全部流域、全部县(市、区)补偿全覆盖；2017—2020年初，统筹安排补偿资金76.7亿元，是全国安排补偿资金最多的省份，体现出“两全一多”的特点。启动东江跨流域生态保护补偿试点，中央财政和赣粤两省每年安排补偿资金5亿元，设立东江流域水环境横向补偿资金，探索建立跨省流域生态补偿机制；启动乐平-婺源“共产主义水库水环境横向补偿”试点，探索建立省内跨流域横向补偿机制，实现“保护者受益、受益者补偿”，有效提升了生态环境保护的积极性，进一步保障了长江中下游的水生态安全①。

① 华启和.山水林田湖草生命共同体建设的江西实践[J].福建师范大学学报(哲学社会科学版)，2020(3)：31-39，169.

09

第九章

完善长江流域产业绿色转型的政策建议

9.1 长江流域产业绿色转型的制度设计理念

在长江水资源优化配置和长江水生态保护修复制度设计理念的基础上，长江流域产业绿色转型的制度设计理念还包括绿色发展、产业布局优化、可持续发展和高质量发展理念。

9.1.1 绿色发展理念

绿色发展是长江流域产业发展的指导理念，如何通过绿色发展解决“不平衡”是实现高质量发展的必由之路。第一，需精准施策、统筹兼顾。绿色发展是以资源节约、环境友好的方式获得经济增长，影响绿色发展的各要素具有关联性和系统整体性的特征，绿色不是孤立存在的，必须系统、整体地把控，局部的绿色增长可能不会实现真正的绿色发展。条块分割、管理分散、各自为政的环保困局使得我国一些地区绿色发展的潜力未得到充分释放。因此，绿色发展需要统筹兼顾，强化顶层设计，把制度建设作为推进绿色发展的重中之重，着力破解制约绿色发展的体制机制障碍。在推进绿色发展的过程中，亟须打破条块分割，明确绿色标准认定，全面加强环境执法，让制度和法治为生态文明建设保驾护航，将绿色发展落到实处。第二，需坚持技术引领。绿色发展是发展方式的根本性转变，是发展质量和效益的突破性提升。绿色发展离不开绿色技术创新，绿色技术创新带来的高效率生产模式将有效弥补传统技术创新中忽视资源保护和污染治理的缺陷，有效减少企业生产的废弃物和污染物的排放，直接降低环境保护成本，带动产业体系的绿色化转型。围绕绿色发展的重大问题，应瞄准绿色设计、绿色工艺、绿色回收等关键技术，加大绿色技术装备的研发力度，打造引领产业发展的绿色核心技术体系，为可持续发展提供动力。积极促进绿色节能低碳技术大规模应用，淘汰低端落后产能，推动产业结构的优化升级，通过产业间的资源重新配置推动全社会绿色化生产。第三，需引导鼓励公众积极参与。绿色发展理念以人与自然和谐发展、共存共荣为价值取向，良好生态环境是最普惠的民生福祉。无论是经济发展还是生态文明建设，最终目的是改善人民生活质量。绿色发展发轫于人民、回馈于人民，因此，需要最广泛的公众参与，以此夯实绿色发展的人本基础。人力资本对绿色发展的贡献在于提升环境效率、抑制环境污染、促进环境保护。我国在绿色技术人才队伍培养、绿色理念广泛认知、公众参与环境保护等方面仍存短板，教育的绿色化导向是未来教育体系改革的重要方面①。

9.1.2 产业布局优化理念

长江流域产业绿色转型离不开产业合理布局。产业布局理论主要研究一国或地区的产业布局对整个国民经济的影响。一国或地区的产业发展最终要落实到一定经济区域来进行,这样就形成了产业在不同地区的布局结构。产业布局是一国或地区经济发展规划的基础,也是其经济发展战略的重要组成部分,更是其实现国民经济持续稳定发展的前提条件。因此,产业布局也是产业经济学研究的重要领域。产业的空间发展过程总是先在某一地域聚集,然后再向其他地域扩散。在发展的低级阶段,经济一般表现出集中发展的极核发展形态;在发展的高级阶段,经济一般表现出缩小地区间经济发展差距的全面发展形态。一个国家在进行产业布局时应该以产业空间发展的自然规律为基础。因此,当一个国家的经济水平处于低级阶段时,其产业布局应该考虑优先发展某些具有自然、经济和社会条件优势的地区;而当国家的经济发展到高级阶段时,其布局应考虑重点发展那些经济落后的地区,缩小地区间的经济差距。任何时候效率和协调都是产业布局所必须考虑的问题,其目的都是保证一个国家整体的持续稳定地发展,只不过在不同时期重点有所不同。在优先发展某些优势地区时,必须把地区间经济发展的差距保持在一定的合理范围之内,不应使贫富差距过大而引发过多的社会经济问题。但是产业空间发展不平衡是绝对的规律,因此在重点发展落后地区时,也要保持发达地区的继续稳定发展,使其产业结构向更高的层次升级,而不应追求地区间发展的绝对平衡。长江流域产业绿色转型要对《长江经济带创新驱动产业转型升级方案》《长江经济带产业转移指南》的落实情况进行阶段性评估,找准关键问题或难点,由国家层面统筹协调产业空间布局,做到有扶有控、分类指导,缓解上海产业布局过重压力,进一步发挥南京、武汉、重庆、成都等承载重要产业布局的重要作用;基于区域一体化背景下城市群联动、企业结盟、联合建园、飞地经济等跨界跨域发展所带来的巨大市场潜力与流动空间,用区域市场大循环有效带动两大循环的双向互动;支持企业通过援建、托管、股份合作、招商合作等模式,建立跨区域产业发展协作平台与产业联盟。

---

① https://baijiahao.baidu.com/s?id=1666374615603155104&wfr=spider&for=pc.

9.1.3 可持续发展理念

可持续发展理念是长江流域生态环境保护与高质量发展的根本保证。长江流域上、中、下游生态环境单元结构各不相同，各河段流域生态环境复杂多样，尤其是中上游生态环境十分脆弱，这就要求长江流域的经济发展必须建立在可持续发展的基础上，长江流域生态环境多主体协同治理必须以可持续发展理论为基础，遵循经济、生态可持续发展规律，长江流域生态环境的管理与治理必须走可持续发展的道路，树立可持续发展理念。长江流域的发展要把生态环境的保护放到最重要的位置，人类的活动要遵循对自然环境不产生破坏，不污染环境，不影响生态平衡的正常发展，不损害后代人满足其需求的理念。长江流域生态环境的良好发展也是长江流域社会进步、经济发展、环境优美、生态文明的综合体现。除此之外，应当建立刚性约束制度，严控水资源开发利用上线。坚持以水定城、以水定地、以水定人、以水定产，建立水资源刚性约束指标体系，实施最严格的水资源管理制度，倒逼发展规模、发展结构、发展布局优化，推动经济社会发展与水资源承载能力相适应。强化生态流量管控，加快推进跨省江河流域和省内跨市县江河初始水权分配，实施地下水开采总量与水位双控。深入推进取用水管理专项整治行动，高质量完成取水口核查登记，切实规范取用水行为。合理确定流域区域用水总量，严格水资源论证和取水许可管理，在水资源超载地区暂停新增取水许可，坚决遏制不合理用水需求。

9.1.4 高质量发展理念

高质量发展是习近平总书记在南京主持召开全面推动长江经济带发展座谈会时发表的重要讲话的中心内涵，是国家未来发展的重大战略举措。高质量发展是指一个地区经济社会发展到一定阶段，为提高全要素生产率和建设现代化经济体系，应采取转变发展方式、优化经济结构、转换增长动力等重大举措，以实现更高质量、更有效率、更加公平、更可持续的发展。长江流域生态保护是高质量发展的基础和前提，长江流域生态环境多主体协同治理必须以长江高质量发展为目标，以长江流域生态环境保护与高质量发展为导向，政府、企业、公民与社会组织必须要目标一致，凝心聚力，协调各方面的利益关系，协调处理好长江流域各地山、水、林、田、湖、草之间的关系，注重综合发展、高质量发展、协同发展，把高质量发展作为长江流域生态环境多主体协同治理的终极目标。

9.2 长江流域产业绿色转型制度框架体系

9.2.1 科学编制长江经济带产业空间布局规划

长江经济带产业空间布局优化是个长期动态过程，在不同的时间段，有不同的优化方案，因此需要在新环境背景下，进行全面谋划，遵照“统筹规划、绿色发展、分工协作、因地制宜”的原则，从宏观全局出发，坚持长江经济带“一盘棋”的发展思路，提高资源配置效率，通过推进长江经济带产业空间布局优化，实现长江全流域经济联动和全面升级。

(1) 成立长江流域跨区治理机构

长江经济带作为一个有机整体，其建设开发需要从全局出发，按照“市场主导、政府推动、差异发展、互利共赢”的原则打破行政区域的限制，成立跨区机构，从宏观战略层面部署跨流域发展方案，加强长江经济带产业布局的完备性、统一性、科学性和协调性，改变产业规划分治的状况。探索市长联席会议制度，建立良好沟通合作机制，定期协商区域内重大事宜，实现信息沟通的无阻性、有效性和完整性，积极推动区域内产业、交通、人才、投资等方面的合作。为长江经济带产业升级、转移、布局及区域合作、经济发展提供强有力的法律保障，同时规范长江开发行为，调节各方利益，明确责任与权力的共存关系。进一步加强督促检查，实现长江经济带产业布局优化政策措施的动态调整。

(2) 加快推进长江流域经济一体化

由于长江经济带覆盖区域广泛，对整个区域进行产业布局，首先需要建立共同发展市场，推进区域一体化进程，通过机制协调和利益引导，促进要素、资源、商品的自由流通，为产业转移布局提供良好市场基础。充分发挥各地在不同经济水平下的产业选择与合作关系，支持下游发达地区的各类企业(包括民间资本)参与中上游地区的投资建设。实行分块、分阶段的一体化进程，例如下游地区推进长三角城市一体化发展，中游地区推动以武汉、长沙、南昌为极点的中游城市群发展，上游则以川渝为轴线，带动滇中、黔中城市群实现一体化，再进一步由区域增长核心联动接壤地带，以主要交通干线和黄金水道为载体，辐射整个长江经济带，完善区域产业空间布局，推动“双线、五核、多点、一中心”空间结构形成，最终将长江经济带打造成为具有国际竞争力的现代制造业中心。

（3）建立长江流域生态补偿机制

生态保护是产业布局优化的重要原则，处理好产业发展与环境治理之间的关系，守住生态底线，是区域经济可持续的首要基础。基于环境承载能力，将长江流域划分为“优先”“重点”“限制”“禁止”四档开发功能区，统筹考虑产业布局、国土利用格局。运用政策干预手段影响企业选址行为，对于那些对长江水质，尤其是上游地区污染大的产业，需要通过产业政策强制关闭或搬迁，有效控制生态恶化；在市区、上游地带和生态脆弱的地区布局无污染、轻污染、低能耗的产业，杜绝走先污染后治理的老路。在沿江各城市建立生态补偿机制，加强各地环境保护方面的合作，在明确“谁污染谁治理”的同时，切实抓好长江流域尤其是上游地区环境协同治理工作。通过技术创新，升级传统污染企业生产工艺，有效降解和利用排弃物，发展循环经济，同时培育壮大环保产业，优化经济带产业结构①。

9.2.2 完善布局载体建设，提供良好发展基础

（1）引导产业合理布局

在引导产业布局方面，地方政府应从以往的租金、税费优惠和融资扶持等为主的资金导向型，转为通过完善区域基础设施、健全各类功能区、提升区域竞争力的功能导向型。明确区域功能定位，统筹规划各地产业错位发展，将区域内土地进行模块划分，通过有针对性地构建适应产业发展的功能性政策、服务、环境、建筑等，切实加强各功能区的分工协作，完善配套设施，提升要素集聚能力，为不同产业互动提供良好发展基础，吸引目标产业进入布局。从基础设施进一步延伸至城市群内部优化，加快推进长江经济带“三大两小”城市群建设，结合自然禀赋和产业基础，明确区域功能定位与未来发展重点，加强城市群互联互通与分工协作，优化布局载体建设，提升长江经济带综合实力。

（2）降低要素流动成本

流域经济最突出的特色就是“点-轴”空间模式，其中“轴”代表的就是交通干线。抓好综合立体交通走廊建设，协调推进东西向交通一体化建设，充分利用长江经济带“港口到内陆”的辐射带动作用，促进长江“供血能力”的发挥，实现区域内资源、资金、技术、人才等要素的自由流动和有效利用，降低产业承接、梯度转移成本。一方面扩大水道运输通行能力，加快实施河道施工、疏浚和整治工程，扩大通航流量，充分发挥流域干线对产业空间结构和要素流动配

---

① 沈梦姣. 长江经济带产业空间布局优化研究[D]. 南京：东南大学，2017.

置的特殊作用；另一方面促进陆上交通干线建设，如铁路、公路的全线贯通，提高铁路通道、高速公路和航空线路的网络密度。大力发展江海联运、干支线直达，加强铁路-水运、航空-铁路、公路-水运等各类交通方式相互配合和有机衔接，加快形成各城市群之间无缝对接、快捷高效的立体交通运输体系，以“轴带”为脉络，推动产业向优势地区布局①。

9.2.3 长江流域产业绿色发展的政策保障体系

（1）加快推进对内产业融合

依据长江经济带上中下游产业梯度和经济基础情况，按照资源优势和区位优势，明确区域定位，正确引导生产力分布，结合长江经济带的功能定位和在全国的战略地位，布局产业并进行空间结构调整，形成产业集群和工业走廊，力求优化区域要素配置，充分发挥出区域整体竞争优势。进一步探索流域产业联动新机制、产业集聚新模式，切实加强产业分工协作，避免重复建设和资源浪费。以供给侧结构性改革为核心指导思想，依托龙头企业引领产业经济，通过资产重组、收购、参股等方式，推进同类型企业强强联手，实现区域内产业融合，引领产业布局优化。

（2）促进对外产能转化

在打破地域限制、统一空间布局规划的引导下，加强产业东西向、南北向对接，促进产业梯度转移、纵向转移和战略性转移，实现产能消耗和转化。充分发挥各地产业基础优势，东西向依托长江黄金水道，加快沿线产业梯度转移，发挥下游发达省市的辐射带动作用，形成上下联动、共同进步、互惠共赢的发展格局。南北向实现与相邻省份的产业纵向转移，依托广西西江航运干线，加快对接西南地区与粤港澳相关产业互动，承接南部沿海产业的二次转移。打开国内市场的同时，进一步开拓国际市场，鼓励海外资本参与区域产业结构调整，将长江上游经济带打造成承接国际产业转移的战略基地。龙头以上海自贸区建立为契机，全面推进负面清单管理，充分发挥上海港口优势，创新投资、贸易、金融等方面的监管制度，进一步唤醒市场主体创造活力，释放经济发展内生动力；龙尾紧抓云南桥头堡建设战略机遇，以云南为对接口岸，积极推进长江中上游地区与南亚、东南亚国家的合作，最终实现长江经济带发展。

（3）布局长江流域人才发展战略

实施人才培育战略，统筹推进产业、人才、区域、创新一体化发展，充分发

① 沈梦姣.长江经济带产业空间布局优化研究[D].南京：东南大学，2017.

挥长江经济带沿江各地高校、科研院所等人才资源优势，在装备制造、汽车、电子信息等重点领域，加强产学研合作，培养大批技术高精尖人才，打造一支高水平的产业技术创新团队，为产业转型升级和布局优化提供强有力的智力支持。设立专项资金用于创新领军人才培养和海外高级人才引进，推动沿江各省市设立若干大型联合专业人才服务平台，拓宽人才需求信息发布渠道，保证人才供需衔接的及时性和精准性①。

9.3　长江流域产业绿色转型的政策执行

9.3.1　促进长江经济带区域协调发展的建议

截至2022年，长江经济带各地政府共集中了1 000多家开发区，可通过产业集聚、产业扩散与塑造区域空间形态等路径促进区域协调发展。在新发展格局下，以开发区促进区域协调发展的逻辑内涵就是充分利用好小空间尺度的区域政策，构建“园区-产业-区域”联动体系，打破行政区划分割，培育共同利益，让资源要素在区域间充分涌流，优化区域空间格局。通过构建产业比较优势、产业空间邻近性和产业技术密度等三个指标，长江经济带开发区产业发展呈现出“核心-边缘”的格局，且形成了以“邻近性升级”为主和以“跳跃性升级”为辅的产业演化路径。长江经济带开发区产业经历了由劳动密集型产业转向资本密集型产业的进程，产业结构得到了改善，但仍需持续优化。综上，以开发区为抓手促进长江经济带区域协调发展可从以下方面着手。

（1）加快构建开发区“微循环”体系，撬动长江经济带“中循环”体系

在新发展格局下，长江经济带开发区应以国内循环为主体，积极接轨长三角一体化发展、成渝地区双城经济圈和长江经济带等国家区域发展战略，通过开发区的平台功能促进资源要素的跨区域流动，在确保产业链的安全性和稳定性的基础上，围绕主导产业强链、延链、补链、拓链，塑造活跃的开发区“微循环”体系，最终撬动长江经济带“中循环”体系的形成。

（2）构建具有“梯度”的现代化产业体系，形成合理的区域产业分工

十九届五中全会指出，要把发展经济的着力点放在实体经济上，这对作为产业集聚体的开发区提出了新发展要求。长江经济带的开发区建设应把对传

---

① 沈梦姣.长江经济带产业空间布局优化研究[D].南京：东南大学，2017.

统产业的升级改造、提质增效与战略新兴产业的培育相结合，作为构建开发区现代化产业体系的“双轮驱动”的动力源。长江经济带东部地区的开发区产业发展应以新兴产业为导向，实现产业的跨越式升级，着力解决“卡脖子”的关键技术问题；基于因地制宜的原则找准比较优势，中西部地区的开发区应做好对接东部地区开发区产业转移的工作，避免产业转型升级过程存在的“路径锁定”效应。因而，形成具有“梯度”差异的合理的产业区域分工，这是促进长江经济带产业协调发展的重要路径。

（3）创新发展跨区域的园区合作模式，强化长江经济带的区域联动机制

加强空间治理、优化区域空间结构是释放区域协调发展新动能的重要路径。充分利用开发区产业集聚和产业扩散效应，积极探索“跨区域共建”和“飞地经济”等模式，形成以开发区为合作平台的跨区域联动机制，促进区域间产业分工深化、市场深度融合、要素充分涌流、共同利益培育、发展成果共享。

（4）基于长江经济带开发区产业联盟，加强产业信息交流与合作

在区域协调治理中联盟化成为区域合作的主要发展趋势。开发区产业联盟的机制在于整合长江经济带开发区产业资源，通过产业信息的沟通、知识产权的共享、生产技术的扩散、产业的转移等路径，提升区域的产业竞争力。构建长江经济带开发区产业联盟，明确发展目标与组织机制，形成良性的利益互补和共享机制，有助于促进整个区域的协调发展。

（5）强化有为政府和有效市场的融合

长江经济带横跨中国东中西部地区，市场化程度差异巨大，开发区发展阶段与产业结构类型存在较大差异。因此，在以开发区为抓手促进区域协调发展的过程中，各地政府需依据自身禀赋和开发区产业结构特征引导产业的转型升级。在资本、劳动和土地等要素市场中减少政府的直接干预，让市场在资源配置中发挥决定性作用，同时，政府需采取审慎的包容监管模式，才能促进新型业态的发展，加快区域统一市场的形成。①

9.3.2 推动长江经济带高质量产业转移协作的对策建议

（1）强化布局，以提升产业链、供应链现代化水平为核心，协同增强区域经济韧性

现阶段，着力提升产业链、供应链现代化水平已被公认为中国经济高质量

---

① 杨朝远，杨羊，汪传江．从开发区产业转型升级到区域协调发展：以长江经济带为例[J]．云南社会科学，2022(1)：132-139.

发展的必由之路。“十四五”时期，长江经济带作为中国经济的大动脉，通过强化布局，以产业链、供应链安全稳定与合理分工作为推进上中下游产业转移协作的基本原则，协同联动增强区域经济韧性，这至关重要。应充分发挥城市群、都市圈在长江经济带产业转移协作中的主导作用。聚焦长三角、长江中游、成渝、黔中与滇中等五大城市群与以上海、杭州、南京、武汉、长沙、南昌、成都、重庆、贵阳、昆明等中心城市为核心的现代化都市圈，并在以城市、园区为主体的产业转移协作指导目录的基础上，细化不同城市群、都市圈的产业转移协作分工，构建以“城市群、都市圈、城市、园区”等空间维度与“电子信息、高端装备、汽车、家电、纺织服装”等重点发展产业为主干的“四维五类”产业转移协作体系。在城市群维度，形成重点发展产业的产业链、供应链闭环，增强重点发展产业应对突发事件、抵御市场风险与保障国家经济安全的能力；在都市圈维度，聚焦前瞻产业与新兴产业，锁定产业链、供应链的“卡脖子”环节，加大科技攻关力度，依托以研发、创新为中心的产业转移协作，提升原始创新能力，引领重点发展产业向全球价值链上游跃迁。在城市、园区维度，全面实施“强链”“精链”工程。“强链”，即将自身发展置身于所在城市群、都市圈的产业大生态中，以提升区域产业链、供应链现代化水平为目标开展产业转移协作，而非单打独斗。“精链”，即有的放矢，围绕重点发展产业与自身产业链、供应链分工，精细有序地承接产业转移，促进产业协作，而非贪大贪全。

（2）统筹管控，聚焦产业转移协作全过程，构建“一张图”式协调治理机制

“十四五”时期，如何统筹产业转移协作的各个环节，构建兼具整体观与系统观的“一张图”式协调管理机制，是以协同联动的整体优势推进长江经济带高质量产业转移协作的关键环节。应牢牢抓住数字经济发展机遇，以空间数据科学为驱动力，以提升产业转移协作治理能力与治理体系现代化为目标，构建涵盖规划、匹配、实施、监督、预警与模拟仿真等重点环节的“一张图”式长江经济带产业转移协作治理平台，对产业转移协作的海量信息进行统筹接入、集中管理、共享信息与实时分析。在规划环节，做到底图统一、产业链供应链合一和信息唯一，全盘掌控上中下游产业转移协作格局，有效遏制各级各类规划自成体系、产业同质与缺乏衔接等问题出现。在匹配环节，通过构建产业转移协作双边匹配平台，为供需双方寻求最佳匹配提供智能化支撑。在实施环节，以园区为基本单元，通过绘制产业转移协作动态地图，实时监测每一项成体量、成规模的转移协作项目实施进度。在监督环节，构建政府、企业与公众三条信息化监督通道，依托各方力量对项目进度、产业链供应链“强链”与“精链”情况、土地利用效率及环境污染等情况进行公开化、平台化监督。在预警环

节，对匹配、实施、监督等环节识别的转移协作风险（如：土地闲置、环境污染等）进行及时预警。在模拟仿真环节，通过AI计算方法，精准测度不同产业转移协作模式带来的社会、经济与环境效益。

（3）园区引领，平台经济、飞地经济与逆向飞地经济联动

从自贸区到国家自主创新示范区，从国家级承接产业转移示范区到国家级、省级开发区，各级各类园区正在成为长江经济带产业转移的主战场。“十四五”时期，如何进一步发挥园区引领作用，构建平台经济、飞地经济与逆向飞地经济联动的产业转移协作体系，推动要素在区域内与区域间有序循环流动，充分释放园区经济潜能，关乎长江经济带高质量发展的未来。就平台经济而言，一是充分发挥上中下游自贸区与国家自主创新示范区的引领作用，在汇聚区域优势资源、攻坚关键技术的同时，促进科技创新要素有序扩散，引导科技创新成果在有条件的地区异地转化。二是充分发挥重庆沿江、四川广安、湖北荆州、湖南湘南湘西与江西赣南承接产业转移示范区的先导作用，将政府引导与市场机制相结合，明确承接产业转移主攻方向，优化营商环境，支持产业转移协作新政策先行先试，引领长江经济带构建高质量承接发展格局。三是充分发挥国家级、省级开发区的基石作用，聚焦开发区所在城市群、都市圈的产业大生态，分区域构建以产业链、供应链为核心的产业转移协作“园区共同体”。就飞地经济与逆向飞地经济而言，一是积极探索共建“园中园”的模式，特别是要加大对欠发达地区飞地经济的财税支持与要素保障度。二是系统总结衢州海创园的逆向飞地发展经验，全力推动这一新的转移协作模式由长江下游“飞向”中上游，在四个承接转移示范区先行先试，并支持欠发达地区的大型企业带头在经济发达地区建设逆向飞地园区。

（4）提质增效，优化土地资源配置，提升产业与环境准入门槛

2020年3月30日，中共中央、国务院出台的《关于构建更加完善的要素市场化配置体制机制的意见》明确提出应推进土地要素市场化配置，并着重强调应深化产业用地市场化配置改革。显然，作为产业经济的空间载体，产业用地的提质增效与配置优化称得上是有效、有序推进长江经济带产业转移协作的供给侧保障。秉承“共抓大保护、不搞大开发”的目标导向，应将土地集约节约高效使用与生态环境保护并重作为产业转移协作过程中土地资源配置的基本遵循。首先，应在长江经济带上中下游全面推行“标准地”制度，推进产业转移协作项目的土地资源配置模式兼具“事前定标准”与“事后严监管”特征，实施、强化定期体检机制，从土地供给层面倒逼产业转移协作项目的开发、运营与产出达到更高水平。在此基础上，构建长江经济带产业转移协作项目库，对相关

项目进行涵盖项目准入、绩效评估、定期体检、退出管理与到期续约等各项流程的数字化全生命周期管理。其次，应推动各级各类园区加快构建“土地-产业-环境”准入负面清单与国土空间管控机制，明确每一宗产业用地的产业与环境准入门槛，在土地资源配置环节有效遏制土地资源浪费、产业资源错配与环境污染。最后，应以城市、园区为基本空间单元，定期发布长江经济带产业转移协作土地集约节约利用情况，并将产业转移协作项目的容积率、建筑密度、地均税收、废水排放量等经济、环境关键指标向社会各界公开①。

9.3.3 重点发展战略性新兴产业

“十四五”时期，全面推动长江经济带制造业转型升级应着力发展战略性新兴产业，积极促进传统制造业转型发展，加快推动制造业数字化转型升级。长江经济带产业绿色转型应当顺应未来产业发展趋势，立足重大技术突破和发展需求，全面推动战略性新兴产业融合化、集群化、生态化发展，继续做大做强做优高技术产业，进一步壮大长江经济带先导性、支柱性产业。不断提高长江经济带制造业技术研发水平和核心竞争力，引领长江经济带制造业转型升级和结构调整。

(1) 支持新一代信息技术产业发展

坚持“突出特色、强化带动、巩固优势、迈向高端”发展思路，围绕物联网、大数据、云计算等领域，突出龙头企业的引领和带动作用，推动形成“光芯屏端网”产业集群。依托国家软件产业基地和中国软件名城，坚持自主创新发展道路，着力突破一批关键核心技术，以关键技术和设备突破促进信息网络、新兴软件和新型信息技术服务、人工智能等产业升级，促进科技成果转化，支持具有自主知识产权的产品产业化发展，助推产业向技术高端发展。以高端创新为依托，强化标准和专利布局，带动产业链、供应链现代化发展。以科研院所为智力支撑，联合产业链上下游企业共同参与，支持新一代信息技术产业龙头企业，营造协同创新氛围，统筹开展新一代信息技术产业跨领域跨行业协同创新，完善产业创新链。

(2) 推动节能环保产业发展

聚焦节能环保产业关键技术创新，加大高效节能、资源循环利用、先进环保装备等技能环保领域的重大技术攻关力度，加快发展污染源头治理、全过程

---

① 周麟. 以协同联动的整体优势推进长江经济带产业转移协作[J]. 中国发展观察，2021(1)：28-32.

控制、低碳、资源循环利用等新技术，加快先进制造、AI等新一代信息技术与节能环保技术的融合发展，全面推进绿色技术创新体系建设，增强长江经济带绿色技术供给能力，加强节能标准宣传与实施，加快推进一批节能环保新技术、新模式的示范试点和先进经验推广应用。加强节能环保创新平台建设，加快节能环保相关科研机构的创新发展，围绕长江经济带节能环保优势细分领域，重点推动建设若干产业创新中心、工程研究中心等产业创新平台，优化完善“产学研用”深度融合创新机制，提升节能环保产业的集成创新能力。优化长江经济带节能环保产业布局，加快推动长江经济带沿线省级以上经济开发区、高新区建设循环经济产业园，加快现有特色产业集群发展壮大，鼓励沿线省份围绕地方资源禀赋培育新型节能环保产业集群，加快节能装备及产品、环保治理装备及产品、资源循环利用等细分产业发展，发展节能型、高附加值的产品和装备。

(3) 支持现代生物产业发展

以创新驱动和绿色发展为主线，以精准治疗和大健康发展为方向，积极应对社会老龄化、保障人口健康、发展大健康产业的发展趋势，抢抓全球生物技术、医药技术、智能制造技术变革机遇，充分发挥长江经济带特有资源优势和技术优势，以国家生物产业基地为重要载体，重点发展生物医药、生物农业、生物制造和现代中药等领域，优化产业布局，培育高品质、专业化大健康服务新业态，构建集创新链、产业链、空间链、服务链、资金链于一体的现代生物产业生态圈。完善生物技术服务体系，开展生物医药国际合作，进一步提升生物技术创新水平，打造生物示范产业链。重点突破新型疫苗、抗体、基因工程药、血液制品及创新化学药等的研发，加快药用制剂和药用辅料的开发。鼓励生物行业龙头企业通过并购、重组等方式整合资源，充分利用生物产业基金，重点支持符合长江经济带生物产业发展战略的关键领域，努力打造生物领域综合性创新投资平台。

(4) 提升高端装备制造业竞争力

瞄准高端装备制造业发展前沿和趋势，依托长江经济带高端装备制造和材料产业基础，加强重大技术装备和关键工艺产品的自主化和产业化，重点突破航空航天、智能制造、海洋工程、轨道交通、工程机械等关键技术瓶颈，力争实现关键系统及装备研制能力新突破。围绕国家战略需要和重点领域应用需求，依托长江经济带技术和人才优势，在航空航天、卫星应用、海洋工程、轨道交通、智能制造等领域打造一批核心产业集群，培育一批具有国际竞争力的龙头企业和骨干企业，形成若干国际知名品牌。

(5) 促进新能源产业发展

聚焦新能源新技术、节能环保等领域，以绿色低碳技术创新和应用为重点，引导绿色能源消费，发展新能源产业，全面推进高效节能、先进环保和资源循环利用产业体系建设，建设沿江绿色能源产业带。聚焦能源资源高效利用、碳达峰碳中和目标、能源安全等突出问题，重点发展核能、风电、智能电网、页岩气、太阳能光伏、生物质能源等产业，提高新能源保障程度和利用水平，积极推进新能源在能源消费中的比重。结合长江经济带区域自然资源禀赋及产业基础，重点推进新能源优势产业领域，增强基础装备配套能力，提升能源装备智能化生产柔性化水平，推广绿色制造技术在新能源产业普遍应用。①

9.3.4 积极促进传统制造业转型发展

聚焦长江经济带石化、钢铁、有色金属等传统制造业，有序推进企业升级改造和环保搬迁，着力提升传统制造业核心竞争力和清洁生产水平，加快推进长江经济带传统制造业转型升级。

(1) 促进食品产业转型发展

深入实施长江经济带食品产业品牌战略，提升产品知名度和产业集中度。结合长江经济带沿线 11 个省市农业资源优势、产业发展现状和地域文化特色，围绕绿色食品、地理标志食品、功能营养食品、休闲食品等重点领域，促进农业产业结构、品种结构和生产结构调整优化，探索资源节约和环境友好的食品工业可持续发展模式，形成特色鲜明、比较优势突出的生产布局，完善长江经济带现代食品产业体系，在长江经济带沿线省份培育一批在国内国际市场上都具有较强竞争力与影响力的企业和著名品牌，建设长江经济带沿线省份各具特色的规模化品牌农业基地和优势产业带。

(2) 推进石化产业绿色循环发展

加快实施石化产业创新驱动、绿色发展、循环发展，进一步规范和优化化工园区布局，完善石化生产力布局，加快发展精细化工产品，积极培育高端化工新材料产品，积极推动长江经济带化工产业转型发展，形成集约集聚、一体化高质量发展格局。聚焦石油化工、磷化工、现代煤化工、盐卤化工、精细化工等重点化工领域，围绕新旧动能转换和传统产业改造升级，优化过剩产能，推动长江经济带石化产业一体化、基地化、循环化、绿色化、高端化发展。以长江

① 李海明."十四五"时期推动长江经济带制造业转型升级的重点任务和举措[J].湖北经济学院学报(人文社会科学版),2021,18(10):32-34.

经济带传统优势产业为依托，大力支持“产学研”合作及重大创新平台建设，支持重点企业开发新型高附加值产品，重点支持建设精细化工产业园，打造长江经济带高端、专用精细化学品产业集群，培育石化产业新的经济增长点。坚持绿色发展高标准，优化工艺技术，提升装置水平，稳步推进生产清洁化，摆脱传统低端供给，最大限度降低石化产业对环境造成的污染，构建现代化工循环经济产业体系。

（3）促进钢铁产业绿色低碳发展

充分发挥上海、湖北、四川、重庆等地大型龙头钢铁产业雄厚基础实力，依托宝武钢铁等龙头企业，在长江经济带稳步发展板材、管材、棒线材、桥梁与钢结构、特钢及铸锻件等多种产品。推动长江经济带钢铁产业由低端向高端转型，加大兼并重组和淘汰落后企业，重点发展满足先进能源装备、海洋工程和特殊船舰、航空航天、轨道交通、汽车转型升级等要求的特种关键材料，提升钢铁制造柔性生产装备研发制造能力。着力化解长江经济带过剩产能，以数控技术为依托，重点实现产业优化、关键技术突破、智能化能力提升。着力推进长江经济带沿线省份钢铁产业绿色制造工程，促进钢铁产业绿色化、低碳化、无害化、集约化、高效化发展，加大绿色工程、绿色园区建设支持力度。大力推广先进适用节能技术装备，不断加大钢铁产业资源综合利用力度，不断优化废钢、钢渣固废资源循环利用和炉料结构，促进长江经济带钢铁产业绿色低碳发展。

（4）支持有色金属产业转型发展

依托皖赣湘川贵滇等有色金属产业优势地区，充分发挥龙头企业作用，将有色金属冶炼和加工向智能化、信息化操作方向发展，推进长江经济带有色金属产业由低端向高端转型升级，补齐高端有色材料及绿色冶炼存在的短板，着力扭转航空航天、集成电路所用关键有色材料依赖进口的局面。适度控制资源开发强度，加强有色金属特别是铅蓄电池废料回收，积极利用低温低压电解、强化熔炼、生物冶金等先进适用技术，形成“废旧金属集散—回收再生—精深加工”的完整循环经济体系，提高资源利用水平，以轻质、高强、大规格、耐高温、耐腐蚀、低成本为方向，积极发展精深加工产品。实施重点企业烟气脱硫、烟气脱硝、除尘改造工程，重点实现优化产能布局、发展循环经济、延伸产业链，促进有色金属产业绿色低碳转型发展。

（5）促进建材产业转型发展

推进长江经济带产能等量置换，建立健全装配式建筑政策体系、规划体系、标准体系、技术体系、产品体系和监管体系，在长江经济带培育形成一批装配式建筑设计、施工、部品部件规模化生产企业和工程总承包企业。落实装配式建筑激励政策举措,充分发挥建材产业转型升级重点项目带动作用,引导和培育新型建材企业投资建设基地。进一步强化产学研用融合,积极探索创新各类形式的校企合作,支持装配式建筑专业教育和技能培训,培养一批覆盖研发设计、施工建设等全产业链专业技术人才,促进农民工向专业技能工人转型。①

9.3.5 加快推动制造业数字化转型升级

以产业数字化为引领,着力推进智慧园区建设,促进制造业传统生产经营方式和理念改革,大力促进互联网、新一代信息技术与制造业系统全方位、全链条、全领域深度融合,提升新型工业化发展水平,补齐制造业核心技术短板,全面增强长江经济带制造业数字化发展能力。

(1) 实施信息基础设施建设工程

实施新一轮宽带提速工程,着力加强通信网络、新技术、新型信息基础设施建设,搭建长江经济带工业互联网云平台。一是要加强园区信息基础设施建设,率先推进园区信息基础提档升级,加速推进园区智慧化改造,提升园区信息化水平。充分应用新一代信息技术,加强 5G 智慧园区建设,在长江经济带建设形成一批高效、协同、互动、整体的现代化产业园区。二是提升工业互联网发展能级。开展工业云及工业大数据创新应用试点,围绕冶金、建材、装备制造、纺织服装、食品、化工、生物医药制造、新能源、新材料等重点行业推广“5G+工业互联网”典型应用。在长江经济带全区域深入推动工业互联网创新发展,进一步提高 IPv6 用户普及率和网络接入覆盖率,全面提升长江经济带宽带网络能力。

(2) 实施企业“上云”工程

坚持政府引导、企业为主体,需求导向、分类推进,进一步实施“万企上云”工程,探索创新联合激励机制,推动长江经济带制造业企业将生产业务系统、设备向云端迁移。一要推广行业云平台应用。围绕重点产业和重点领域,支持龙头企业加快内网改造升级,推进制造业行业特色云平台、工业互联网平台建设。面向行业和产业链,建设公共服务平台,带动中小企业信息化应用。二要支持中小企业云平台发展。支持公共或第三方工业云平台在线服务集成,

---

① 李海明.“十四五”时期推动长江经济带制造业转型升级的重点任务和举措[J].湖北经济学院学报(人文社会科学版),2021,18(10):32-34.

加强中小企业云服务培训，鼓励工业软件企业为中小型制造业企业提供工业云服务。三是提升工业云与大数据服务能力。围绕重点行业和环节，鼓励长江经济带工业云服务内容和模式创新，支持数据接口和分析等关键技术突破，全面提升工业云平台系统服务供给能力。

(3) 实施智能制造工程

进一步推进智能制造纵深发展，引导纺织、制造等重点行业开展关键岗位机器换人、生产线数字化升级等智能化发行项目，大力建设智能工厂、数字化车间，支持协同制造、柔性制造等新业态发展，在长江经济带积极开展智能制造试点示范。一是加快研发高端智能装备。围绕智能网联汽车、智能装配等重点领域，创新推广智能制造应用新模式、新机制，加大智能制造装备设计研发，鼓励智能化生产线改造升级和规模化应用。二是加快建设“数字工厂”。全面推广“数字工厂”模式，推进数字化协同研发、网络化控制、自动化物流等系统制造业全产业链、全价值链应用，加快制造业生产性智能化改造，促进制造业生产过程全面优化升级。三是加快制造业数字化智能化转型。坚持分类施策，分行业、分步骤、分区域推动长江经济带制造业智能化转型，加强智能制造示范试点，推进新一代信息技术和大数据等集成创新和工程应用，全面提升长江经济带制造业生产、装备、管理、服务、产品的智能化水平。

(4) 实施制造业“双创”体系建设工程

聚焦制造业产品全生命周期关键领域，率先在有条件的地区、重点行业、优势企业开展制造业“双创”体系建设及应用推广。优化长江经济带制造业创新中心区域布局，探索联合共建综合服务平台，全面提升“双创”服务的综合性、普惠性、专业性。一是打造企业创业创新平台。整合重点行业关键领域的各类资源，支持“政产学研用金”产业创新联盟。鼓励龙头企业、大型企业与中小型企业跨界协同创新、合作共赢，进一步完善中小企业公共服务平台网络。二是完善创业创新生态系统。聚焦工业互联网等重点领域，支持沿江创业创新促进中心建设和运营，完善现有平台服务功能、综合服务体系和创新生态系统。三是加强园区创业创新体系建设。以长江经济带制造业集聚区、产业园区为重点，实施长江经济带互联网产业集群行动，打造资源共享、创新合作、产业链协同的制造业智慧集群。

(5) 实施制造业信息安全保障工程

围绕制造业智能装备应用安全和智能工厂信息安全，支持制造业信息安全防护和预警平台建设，着力提升制造业行业信息安全防护能力和水平。一是完善制造业信息安全保障体系。聚焦装备制造、新能源、新材料等重点行业，深入实施制造业控制系统信息安全保障能力提升工程，落实国家工业信息安全监管防护要求，支持制造业信息安全防护共性技术平台建设和运营。二是强化制造业信息安全技术支撑能力。支持制造业信息防护技术和工具的研发应用，鼓励信息安全技术联合攻关、广泛应用，切实提高智能制造业产品和研发风险防范支撑能力①。

9.4 长江流域产业绿色转型的监督管理

作为享誉中外的黄金水道和工业走廊、城镇走廊、商贸走廊、生态廊道，长江经济带11个省市在占全国21.5%的国土面积上集聚了全国43.0%的人口，经济总量占据全国“半壁江山”，发展潜力巨大。同时，长江经济带工业体系相对完整，产业链比较齐全，具备比较雄厚的先进制造业产业基础。然而，长江沿线各省市之间的专业化分工不足，产业同构化程度偏高，对如何实现上中下游分工合作和功能互补缺乏科学合理的顶层设计。另外，沿江存在着大量的劳动密集型、组装加工、贴牌生产等处于产业链中低端的行业和企业，尤其是上中下游地区之间的优势创新资源未能得到高效组合叠加，无法形成区域整体合力。因此，我们亟须在构建新发展格局的过程中促进长江经济带产业高质量协同发展。

9.4.1 强化长江经济带产业转型升级管理

经济增长与新旧动能转换的根本落脚点在于产业体系的循环与畅通。为了打造长江经济带高质量协同发展产业体系，我们需要在产业合理布局与有序转移、产业链分工协作与融合发展、促进资源流动与高效配置、园区规划（标准）衔接、体制机制配套改革等方面统筹规划和系统推进。

（1）持续做好产业有序转移接续

对《长江经济带创新驱动产业转型升级方案》《长江经济带产业转移指南》的落实情况进行阶段性评估，找准关键问题或难点，由国家层面统筹协调产业空间布局，做到有扶有控、分类指导，缓解上海产业布局过重压力，发挥南京、武汉、重庆、成都等承载重要产业布局的重要作用。基于区域一体化背景下城

① 李海明.“十四五”时期推动长江经济带制造业转型升级的重点任务和举措[J].湖北经济学院学报(人文社会科学版),2021,18(10):32-34.

市群联动、企业结盟、联合建园、飞地经济等跨界跨域发展所带来的巨大市场潜力与流动空间,用区域市场大循环有效带动两大循环的双向互动。支持企业通过援建、托管、股份合作、招商合作等模式,建立跨区域产业发展协作平台与产业联盟。鼓励总部、研发、生产分离模式,促进上中下游城市协同发展。

(2) 突出协同创新生态体系建设

充分发挥上海、合肥综合性国家科学中心的撬动作用,大力推进创新型城市以及制造业联合创新中心建设,对于“卡脖子”的重大科研任务和关键性技术,开展长期、稳定的联合攻关,着力实现产业基础高级化。鼓励长江经济带与沿海经济带在科研院所合作、科技成果转化、产业集群建设等方面加强联系,实现优势互补。在环保合规、技术可控并符合产业发展需求的前提下,长江中上游城市可以有选择性地接受部分沿海经济带的产业转移。长江经济带沿线应加强人才服务、信息认证等方面的合作,并尝试利用大数据、互联网等手段建立长江经济带人力资源市场,推行人才资源互认共享、社保一体化等实质性政策,并建立基于“创新资源”合作的跨区域人才联合培养机制。构建线上线下结合的技术标准与知识产权交易市场,积极组建长江经济带智库联盟,为长江经济带沿线的技术流动、知识产权和科技金融服务提供平台,切实推动创新链与产业链、人才链的有机融合。

(3) 积极推动产业绿色转型升级

长江经济带要在推进“绿色发展”上取得更大成效,其重点在于:一是以推动传统产业转型和战略性新兴产业发展为目标,以提高绿色环保技术自主创新能力为突破口,以沿江开发区和产业园区为载体,鼓励企业开发绿色产品、建设绿色工厂、打造绿色园区、完善绿色供应链,并进一步强化环保法律法规和行业标准约束。二是充分发挥长三角生态绿色一体化发展示范区的示范作用,点面结合、系统治理,努力探索生态环保领域的产融发展之路,为践行和推广“两山理论”提供实践样板。三是立足区域功能定位,坚持以产业绿色化、集聚化、高级化发展为导向,以数字经济和能源革命为依托,有效落实负面清单和产业结构调整目录,积极改造提升传统产业,发展壮大战略性新兴产业,加快发展现代服务业,大力发展特色效益农业和生态旅游业,打造多极支撑的绿色产业体系。

(4) 加强全流域产业链分工协作

要紧紧把握第四次科技革命与产业变革所带来的新经济、新基建、新投资、新消费等重大历史机遇,紧紧瞄准基于5G的物联网、人工智能、石墨烯新材料、量子技术、基因工程等前沿产业科技领域,加强上中下游产业分工协作和主导产业集群互嵌衔接。可考虑在长三角、成渝地区双城经济圈等地区重点打造一批空间上高度集聚、上下游紧密协同、供应链高效集聚，以及规模大、效益好的新型产业链集群。鼓励下游区域依托技术和产业优势，瞄准国际先进产业发展，积极参与全球经济竞争。促进中上游区域积极承接下游区域产业转移，留住产业链关键环节，促进产业转型升级和高质量发展。淡化区域指向，强调功能聚合，在长江经济带重点产业集群中应重点围绕集成电路、人工智能、高端装备等优势产业，加强窗口指导与配套服务，培育更多的高科技服务业领军企业。

(5) 切实完善园区协同发展机制

推进园区环境保护、招商引资、信息服务和监管执法等方面的标准化工作，统一准入门槛和服务细则，实现战略联动与规划协同。推进毗邻园区、重点飞地深度对接，探索“圈层梯度、一区多园”模式。推广北京中关村、上海张江、武汉东湖的“1+N”管理体制，由龙头城市带动，整合沿线其他城市的高新技术产业资源，使沿线各地高效享受科技产业协同的政策红利。不断完善“长江流域园区合作联盟”等创新合作机制，扩容“长三角 G60 科创走廊”，更好发挥其引领辐射作用。积极打造数字化、一体化园区，推动长江经济带园区的各类创新政策“跨区通兑”，引领、动员各类主体拓展多样化合作，推动营业执照和工业产品生产许可证等“全流域通办”。①

9.4.2 以“四位协同”强化产业协调发展

从高速增长阶段转向高质量发展阶段，产业协调的重点也应从以增长协调为主向更注重功能协调转变，这就需要牢牢把握促进科技创新、现代金融、人力资源与实体经济“四位协同”发展这个“牛鼻子”。

(1) 以“四位协同”的产业政策促进长江经济带产业协调发展

长期以来，长江经济带各地都是通过产业政策来推动产业发展，例如，政府通常会针对一些国民经济中的重点行业或具有较好发展前景的行业制定产业政策以扶持其发展，这在过去为长江经济带在较短时间内建立起较为完备的产业体系、实现经济赶超发挥了巨大作用。这种产业政策本质上是产业结构政策，通过长江经济带各地制定的产业发展规划、国民经济社会五年发展规划等政策文本可以发现，几乎所有的政策着力点和目标都是调整产业结构。

---

① 探索长江经济带产业协同发展之路[EB/OL]. (2021-10-28)[2022-03-22]. https://baijiahao.baidu.com/s?id=1714824246575888146&wfr=spider&for=pc.

但产业结构本身是长期发展的结果而非短期调控的手段，而且产业结构政策导致了产能过剩、生态环境恶化等问题。产业协调发展的微观本质是要素协同，因此，进入高质量发展阶段，应促进长江经济带各地产业政策进行转型，以促进科技创新、现代金融、人力资源与实体经济协同的产业政策来驱动和引导产业协调发展。这类产业政策实际上就是竞争政策，通过鼓励竞争不断提升科技创新、现代金融、人力资源等投入要素的质量，通过平等竞争减少投入要素的配置扭曲和效率损失。

（2）围绕长江经济带布局国内价值链

当前，长江经济带产业协调发展具备一定的基础，如产业集聚水平有所提升，但这种协调更多是基于资源要素禀赋差异而非专业化分工，各地尤其是相同区域内省市的产业同构现象较为突出。产业转移是加强区域经济合作、促进产业向高阶协调发展的重要机制。近年来，长江经济带下游地区的一些企业转移到中游、上游地区，诱发了一轮区域间的产业转移浪潮，其重要特征是基于全球价值链分工，以转移目的地大力度政府补贴为主要驱动力。这会导致长江经济带内部同质化竞争更加激烈，转入地政府补贴作为短期政策工具难以形成产业有序转移的长效机制，转出地则由于主要以嵌入全球价值链发展外向型经济，大量“两头在外”从事出口加工的企业被中游、上游地区挖走又难以形成产业接续，可能造成产业空心化。当前，应正确把握全球化新趋势，切实办好自己的事，以长江经济带为空间载体构建布局国内价值链，进而逐步向“一带一路”共建国家拓展，培育我国的跨国企业和价值链“链主”。基本路径是构建一体化市场，促进区域间产业转移。构建一体化市场主要有两层含义：一是充分发挥庞大的内需优势来支撑和驱动国内价值链的构建；二是消除要素市场的分割，打破地区间行政壁垒，使各类要素尤其是高级创新要素能够自由流动，鼓励跨区域的企业并购重组，从而促进更高水平的产业转移。

（3）以产业集群构建长江经济带产业融合发展机制

产业融合是产业协调发展的重要途径和表现形式，但并不能自我实现。当前，长江经济带产业融合度不高，中心城市与周边地区、下游地区与中上游地区的经济合作不强，更多的是点对点的联系，除了与制造业产业链不长、一些生产性服务业存在垄断以及两者发展水平均仍有较大提升空间密切相关，更重要的是尚未形成产业融合发展机制。产业集群是产业融合发展的主要机制。除了要进一步完善长江经济带各产业集群空间载体园区的配套服务功能，如以产城融合、绿色发展大力推进园区基础设施和公共服务平台建设，引导产业项目向园区集中，还要在三大方面予以加强：一是鼓励产业集群内、产业集群间企业相互合作与交流共生。虽然长江经济带一些地方已经实现企业的空间集聚,但企业之间的交流并不多,应鼓励企业之间相互合作、交流共生,营造良好的产业生态系统,打造世界级产业集群。二是推动产业集群的组织变革。不应在长江经济带各地均强调走全产业链的发展模式。在推动各自主导产业做大做强的同时,还应着力于促进产业集群的组织变革,推动产业集群技术共生、利益共享、组织共治。三是加强产业园区共建力度。长江经济带两地、多地共建的产业园区是区域产业协同发展的有效载体,探索合理高效的共建模式有利于发挥集聚和辐射效应。要推进管理、制度与服务创新,严格实施负面清单制度,有效发挥市场配置资源的决定性作用,强化对全球高端和创新性生产要素的吸引和集聚。

(4) 以科技创业提升科技创新成果的市场转化率

从创新链的角度来看,科研是创新的第一阶段,是生产知识的过程;产业化是创新的第二阶段,是创造财富的过程。当前,制约长江经济带科技创新与实体经济协同发展的关键在于产业化机制尚未打通。为提升科技创新对实体经济的贡献率,长江经济带三大城市群之间及内部纷纷开启“科技招商大战”,即聚焦新能源、新材料、生物医药等战略性新兴产业及人工智能、大数据等科技前沿领域的项目展开招商竞争。科技招商本质上是一种零和博弈思维,面临着好的科技创新项目非常有限以及科技型企业与传统企业相比选址偏好不同等难题。因此,应从侧重于开展科技招商转向鼓励科技创业,科技创业是创新两阶段的连接变量。长江经济带促进科技创新与实体经济协同发展,必须重视并发挥科技创业的积极作用。鉴于科技创业企业在科技成果转化、创造就业机会以及区域经济增长方面的重要作用,全球各地均掀起了科技创业的发展浪潮。比如在硅谷不足50公里的狭长地带集聚了上万家高科技公司,其中,全球排名前100的高科技公司有30%的总部位于硅谷。鼓励科技创业应避免进入“科技创业仅取决于地区知识生产”的认识误区。一是鼓励高技能人才在长江经济带各城市流动集聚,人才是发展科技创业创新的核心要素和战略资源。技术领域的专业性、多样性以及各地区知识资源分布的差异性,使各个城市通过科技创业在少数领域集中突破成为可能。二是强化载体建设。科技创业需要载体,特别是信息基础设施对一个地区科技创业的活跃度具有重要影响。三是实行最严格的知识产权保护制度。要研究制定专利、版权、大数据等重点领域的知识产权保护规则,建立与国际接轨的知识产权保护和运营体系,完善快速审查、快速确权、快速维权协同保护体系,推进知识产权综合执法。

(5) 以多层次资本市场建设及先进技术运用提升金融服务实体经济效率

当前,长江经济带现代金融与实体经济协同发展过程中面临的最主要问题有两个:一是直接融资比例不高,直接融资结构不平衡现象较为突出;二是金融错配程度较为严重,大量信贷资源被低生产率、高风险部门占用。这就需要一方面发展利用多层次资本市场。长江经济带各地应推动各类优质企业规范改制和发行股票上市,构建引导金融资源向优势企业、创新企业集中的市场机制。发挥上海作为国际金融中心的龙头作用,加快各类专业性板块建设,打造长江经济带股权交易中心,并以此建设区域性股权交易市场。设立政府引导、民间资本为主的长江经济带兼并重组引导基金,更大力度推动企业利用资本市场开展以整合资源和获取技术、人才、品牌、渠道为主要目的的并购重组。推动长江经济带金融改革和现代金融示范区建设,大力发展私募基金、风险投资以及各类债券融资,为中小微企业发展提供足够的金融支持。另一方面鼓励长江经济带各地银行、租赁等金融机构积极运用大数据等先进技术手段降低信贷市场上的信息不对称,减少金融错配。由于信息搜寻成本较高,以银行为主的金融机构为规避信贷风险或应对来自地方政府的信贷支持压力,往往更偏向于将资金投向大型企业、国有企业、三资企业。随着人工智能、大数据等先进技术的发展,金融机构可以更低成本、更高效、精准地掌握企业经营信息,这有助于改变传统的信贷投放模式、流程,提高金融配置效率。

(6) 形成并引导多层次人才梯队进入实体经济

促进长江经济带人力资源与实体经济的协同发展主要应解决两大问题:一是人力资源质量的提升问题。当前,长江经济带沿线省份普遍面临着杰出研发人员、企业家等高端人才与高技能技术工人等的“双重短缺”困境。二是人力资源配置效率的提高问题。由于要素价格扭曲,人才尤其是高技能人才往往更愿意进入虚拟经济部门而非实体经济部门。因此,一方面,要形成多层次人才梯队。长江经济带各地要加强高层次人才培养吸收利用,既要加大高端人才引进力度,积极培养引进科技领军人才、创新创业团队、高素质管理人才和高技能人才,又要提升人力资本素质,促进高等教育补短板、强特色,加强职业技能培训。另一方面,要鼓励引导高技能人才进入实体经济部门。长江经济带各地人才支持政策相互衔接、人才工作体系相互配套、人才资源市场相互贯通、人才发展平台相互支撑,构建与国际接轨、有利于人才发展的体制机制,加快构筑国际化人才高地。完善人才评价激励和服务机制,弘扬劳模精神和工匠精神,在荣誉称号、物质奖励、薪资体系等方面加强改进,让工人技师也有地位。提高“人才溢价”,加大股权激励力度,鼓励企业以股票期权、限制性股票等方式对科技人员给予股权激励。①

9.4.3 加强长江流域数字产业管理

(1) 协调区域发展,共同推进产业数字化

数字经济是优化产业结构、促进产业转型和现代化的重要动力,代表了我国工业的先进水平。但是从分析结果来看,长江经济带数字经济发展水平不均衡,传统产业发达的城市表现不佳,因此需要主动帮助产业结构发展水平以及数字经济发展水平较低地区进行基础设施建设。要根据长江经济带欠发达地区与发达地区已经形成的产业梯度,调整优化对口支援政策,促进横向经济协作,鼓励技术人才向欠发达地区转移,构建更加合理的产业分工格局,促进全产业链推进的大循环形成。

(2) 鼓励科研创新,促进产业转型升级

科学研究和创新是长江经济带未来工业现代化的必然选择,发展由低速到高速,由粗放到集约。对于长江经济带,必须提高数字经济发展质量,必须进一步巩固信息基础设施的扩展,建立通信网络并高速发展。当前,5G的研发和应用已成为新时代的热点,长江经济带可以借此机会,努力创建新的战略性产业集群,并将重点放在资本、技术和人才等关键要素的引入上,以加强数字产业在研发、设计、制造和销售服务等多方面的应用,发展该地区具有核心竞争力的重点业务。

(3) 提升要素禀赋,增强产业升级活力

由于促进产业转型和进步的劳动力人数逐渐减少,因此工作任务应着眼于提高劳动力的素质,这意味着建立一支掌握先进技术以进行产业升级的创新型人才队伍是至关重要的。一方面,支持国内外著名大学和科研机构在数字经济中发挥作用,并探索企业与高校的合作模式。随着数字经济的持续增长和数字信息技术的不断渗透,可以促进该地区的务实和创新型人才的培育工作。另一方面,数字经济的发展已将制造公司从“以用户为中心”转变为“使用户能够积极参与创新”。操作员作为用户进入设计和生产企业产品的过程中,这对企业及时掌握科学技术的发展趋势、掌握社会需求、加快制成品的升级非常有益。工作质量的提高和对创新的参与最终转变为转型和产业升级的

---

① 程俊杰,陈柳.长江经济带产业发展的结构协调与要素协同[J].改革,2021(3):79-93.

活力。①

9.4.4 基于“强监管”强化水权监管

水资源作为特殊商品，水权分配、使用、交易过程中的分配不公、用水不当以及水囤积、过度交易等行为将破坏社会和谐、危害粮食安全、造成环境污染、影响经济发展等。因此，必须在水权制度运行的全过程中践行“强监管”的总基调。第一，基础支撑保障制度应充分利用在线自动监测系统、大数据等现代技术，提高水权监管信息化、智能化水平，为水权管理提供基础支撑保障。建议一是建立长江上游全覆盖的水监测计量统计制度，协调推进取用水监测计量统计设施的安装与管护，规范各类监测站点的监测、计量与统计，为强化水权监管奠定基础；二是建立数据共享制度，实行长江上游各类监测数据、统计数据及水权交易等信息的共享；三是完善水资源管理考核制度及责任追究制度，将水权管理制度纳入其中，通过巡查、督查、通报及追责等措施，加强监督管理；四是完善公众参与机制，形成以公民监督举报制度、信访制度等为主要内容的公众参与制度，对水权管理中的违规、违法和损害生态环境及第三方利益现象进行社会监督；五是完善信息披露与公告制度，重视水权管理信息的发布与交流。第二，过程监管制度应贯穿水权分配、使用和交易的全过程。建议一是建立水量分配、调度监管制度，明确工作责任主体，对不执行水量调度计划、不泄放生态流量等行为，依法依规追究责任；二是完善细化取用水监督管理制度，加强取水许可事中事后监管，规范和加强取用水管理，对获得取水许可的单位和个人进行监督管理；三是完善细化水权交易监督管理制度，包括水权交易成交审核办法、水权交易备案制度等，保障水权交易双方及第三方的合法权益不受侵害，减少交易产生的纠纷②。

---

① 彭炳忠，易俊宇.数字经济对长江经济带产业结构升级的影响研究[J].湖南社会科学，2021(6):51-57.

② 罗伟伟，刘明.长江上游水权制度建设框架构想[J].长江技术经济，2020,4(4):14-19.

后记

本书聚焦于政策层面的研究，通过系统梳理长江保护与绿色发展政策的历史沿革、实施现状，系统考察、评估长江保护政策实施效果，深入剖析长江保护中存在的主要问题与发展制约，并提出优化政策效果的对策建议，以期为长江流域及经济带的高质量发展提供坚实的政策支撑和理论依据。本书分为三大部分，共计九章。第一部分基于长江流域及经济带各省市历年相关政策及客观统计数据，系统梳理了长江流域及经济带在水资源开发利用、水生态保护修复以及产业绿色发展等方面的政策历史沿革，并结合武汉、马鞍山和芜湖等地的实践案例，深入剖析了政策实施中存在的突出问题，力求全面、客观地反映长江流域及经济带政策实施的现状与问题。第二部分则从长江水资源开发利用政策、长江水生态保护修复政策、长江经济带产业绿色发展政策三个维度展开研究，通过构建科学的评价指标体系，采用定性与定量相结合的方法，对政策实施效果进行了系统评估和问题分析，同时加入对区域层面的考量与比较，探讨和评价不同地区政策实施的异质性。第三部分在前两部分的基础上，结合国内外先进经验，提出了水资源开发利用、水生态保护修复和产业绿色转型的政策设计理念和框架体系，并阐明了政策执行的有效路径和监督管理机制。

本书由长江保护与绿色发展研究院、江苏长江保护与高质量发展研究基地组织编写。感谢在本书的具体编写过程中付出辛勤劳动的各位专家学者，包括朱新华、杜春林、刘超、杜心栋、袁源、张曼丽、涂安娜、丁晨辉、张培风等。他们在各自的研究领域深耕多年，为本书的编写提供了坚实的学术支撑和实践经验。编写团队始终坚持以科学性和学术性为导向，力求在学术性与实践性之间找到平衡，既注重理论框架的构建，也关注现实问题的解决。

本书的编纂参阅了大量文献、统计资料和调研成果，涵盖了长江流域及经济带各省市历年相关政策文件、学术研究成果以及实地调研数据。但是，由于长江经济带绿色发展问题的复杂性与动态性，资料来源广泛、数量繁多，书中难免存在疏漏之处，在此，我们向所有文献资料提供者及相关机构表达深深的谢意，同时也恳请广大读者对书中可能存在的不足之处予以指正。

长江大保护与高质量发展是一项复杂的系统工程，涉及经济、社会、生态等多个领域，需要多方协同努力。未来，我们将持续关注长江大保护与高质量发展的最新动态，深入开展相关研究，助力实现长江流域生态保护与经济社会协调发展的长远目标。